꿈길이
아니더라도

꽃길이
될 수 있고 ───────────

꿈길만 걸을 수 없는 것이 우리 삶이지만,
그 길을 꽃길로 만드는 것은 바로 자신입니다.

목화 꽃 당신

에델바이스 짙은

삶, 피어나다

길치와 방향치를 모두 갖고 있는 내가 가본 적 없는 목적지를 찾아가는 일은, 때론 미로 속을 헤매는 것보다 더 혼란스러운 일이었다. 그런 나에게 내비게이션은 신의 선물 같았다. 찾아가는 장소를 알고, 최소 시간까지 계산하여 알려주는 내비게이션은 실로 많은 이들의 목적지에 탄성을 불러냈다. 삶에도 이런 내비게이션이 있다면 얼마나 좋을까.

　어쩌면 삶의 길은 걸어가는 내내 길치와 방향치를 경험하게 되는 일인지도 모른다. 뚜렷한 확신 없이, 걸어가는 길 위에 깊게 발자국을 새기기도 하고, 때론 일어나지도 못해 엉금엉금 겨우 기어가기도 한다. 길 위에서 만난 인연들과 웃음꽃을 피우기도 하고, 눈물로 얼룩지기도 한다. 그 웃음은 우리를 순식간에 꽃밭으로 데려다 놓을 것이고, 슬픈 울음은 금세 벼랑 끝으로 내몰기도 할 것이다. 그렇게 지나가는 길마다 희로애락을 뿌려가며 자신만의 길을 닦아간다. 그 길이 꿈길인지, 꽃길인지도 모른 채 말이다.

삶은 자신만의 길 위에서 꽃 한 송이 오롯이 피워 내는 일일 것이다. 자신이 피워 낸 꽃이 상대의 개화에 아름다운 씨앗이 될 수도 있고, 상대가 피워 낸 꽃이 자신의 삶에 안식처가 될 수도 있으리라. 이런 여정 속에서 삶은 꿈꾸던 길이 아니더라도 꽃길로 물들이고야 만다.

이 책은 내 삶의 길을 내어준 엄마라는 꽃이 저물까 봐, 두렵고 아프던 날들의 기록이 담겨 있다. 더불어 흔들리며 가슴 졸였던 길 안에서 깨달은 삶의 아름다움과 빛나던 순간들도 함께 담아냈다. 삶은 함께 피어날 때, 완연한 꽃밭을 뒹구는 행복의 기회도 찾아오는 것. 이 책에 전하는 진심이 씨앗이 되어, 책을 접하는 누군가의 삶에 포근한 꽃봉오리가 맺히기를 바란다.

목화 꽃 당신

그저 바라보기만 해도 포근해지는 목화 꽃은
꽃말마저 '어머니의 사랑'입니다

산세베리아 꽃이 피었습니다

우리가 자연을 좋아하는 건 복잡하게 관계를 맺고 살아가는 우리들 삶에 비해, 단순하게 있는 그대로를 품고 보여주는 자연의 겸손함과 묵묵함을 동경하기 때문일 것이다. 그래서 반려식물은 취미 이상의 힐링과 깨달음을 선사한다.

산세베리아 화분 하나가 우리집에 온 지 어느새 15년 가까이 시간이 흘렀다. 내가 죽은 식물도 살려내는 '생명의 손'이라고 치켜세우는 엄마는 15여 년 동안 스무 개의 화분도 넘는 산세베리아 가족을 만들어내셨다. 나보다 좀 작았던 나 홀로 산세베리아는 이제 숲을 이룬다. 찬바람이 매서운 한겨울에도 초록의 싱그러움을 잃지 않고, 우리집에서 신록의 삶을 선물한다.

산세베리아들을 볼 때마다 "너가 몇 째니?" 하며, 첫째, 둘째, 셋째 서열을 매긴다.

"아니, 쟤가 아니고 내가 둘째야. 순서 좀 잘 외워봐."
"왜 막내한테만 물을 더 주는 거야? 나도 목 많이 마르거든?"

이런 대화가 들리는 듯 상상을 하며 혼자 큭큭 대곤 한다. 서열을 매기다 보면, 제일 처음 가족이 되어주었던 산세베리아를 금방 찾아낼 수 있다. 반지르르한 윤기와 함께 짙은 초록의 깊이를 한껏 뽐내고 있는 산세베리아들 중에서 흐릿해지고 꺼끌꺼끌한 얼굴로 겨우 고개를 들고 있는 산세베리아 하나가 눈에 들어오기 때문이다.

많은 산세베리아를 번식하고 엄마 격의 시들시들해진 산세베리아를 마주하니, 문득 바짝 마른 엄마의 등이 눈앞에 아른거렸다. 바삭해진 엄마의 머리카락이 산세베리아 잎에서 만져지는 듯했다. 영양제 하나를 푹 꽂아놓고 무심히 뒷모습을 보였지만, 어쩐지 산세베리아가 "나는 괜찮다."라고 속삭이는 것만 같았다. 그 산세베리아를 마주할 때마다 왜인지 나는 늘, 미안해졌다.

몇 계절이 더 지난 어느 날, 빛바랜 산세베리아는 좀처럼 보기 힘들다는 산세베리아 꽃을 피워 냈다. 은은하고 청아한 향기에서 세월의 깊이를 느낄 수 있었다. 힘든 얼굴을 하고서도 꽃을 피워 내는 아름답고 숭고한 일을 해내고 있는 산세베리아 앞에서 절로 숙연해졌다. 늘 통증에 시달리면서도 항상 미소를 잃지 않으려 애쓰는 엄마의 얼굴도 겹쳤다. 당신의 가슴속에 겨울이 찾아와도 딸들을 위해 영원한 꽃의 노래를 불러주는 엄마의 향기가 코끝을 스치는 듯 했다. 그래, 엄마들은 그렇다. 식물이며, 사람이며 이 세상 어머니들은 당신들을 쥐어짜내서라도 꽃의 얼굴을 하고 만다. 어렵게 피워 낸 산세베리아 꽃은 꽃말마저 '관용'이라고 한다. 아, 이 너그러운 향기에 어찌 마음을 파묻지 않을 수 있을까…….

산세베리아도, 엄마도 이제는 오롯이 당신만을 위해 피워 내는 시간을 가졌으면 하는 바람이 바람을 탄다.

애써 피우지도 말고.

급하게 지지도 말고.

비바람에 쓰러지지도 말고…….

삶을 끌고 가는 힘은 어쩌면,
시련에서 시작된다

내 나이 20대 후반을 달려가던 어느 겨울날, 엄마는 어둠의 터널로 들어가고 계셨다. 아침형이다 못해 새벽형이신 엄마가 기척이 없어 걱정스러운 마음에 방문을 여니, 차디찬 아침 공기보다 더 차갑게 무의식 속으로 사라져가고 계셨다. 아무리 흔들고 외쳐 불러도 꼼짝 않으시던 엄마를 구급차에 싣고 응급실에 가기까지의 그 순간을 떠올리면, 지금도 온몸이 암흑으로 뒤덮이는 듯하다.

응급처치를 한 지 1주일 뒤, 엄마는 인공호흡기에 의지한 채

기나긴 무의식의 세계로 야속하게 들어가셨다. 병원에서는 뚜렷한 원인을 찾아내지 못했고 그저 마음의 준비를 하라는 말만 되풀이했으며, 엄마는 하루가 다르게 산 사람이 아닌 모양으로 왜소해지고 계셨다. 그런 엄마를 마주하면서도 난 울지 않았다. 아니, 울 수 없었다. 내가 웃어야 엄마에게 좋은 에너지를 전달할 수 있다는 막연한 믿음으로 꾸욱꾸욱 온 힘을 다해 눈물을 눌러 담았다.

일반병실에서 중환자실로 이동한 후, 짐 정리를 위해 오랜만에 집에 들렀다. 쓰러진 엄마를 정신없이 모시고 나오며 약 일주일 만에 들른 집엔 처연한 공기만 가득했다. 엄마가 채워주시던 따스한 온기가 없으니 더 이상 집은 안식처가 아닌, 슬픔의 공간이었다. 집에 스며있는 엄마의 잔향에 그간 잘 참아 왔던 눈물은 조금씩 몸과 마음을 비집고 나오기 시작했다. 현관에서 신발을 벗으며 조금씩 훌쩍이던 눈물은 엄마의 베개 밑에 꼬깃꼬깃 접혀있는 메모를 보고는 꺼이꺼이 홍수처럼 터지고 말았다.

- 휘청휘청 나의 걸음이 차갑고도 차네. 나는 어디로 가고 있

는 것일까. 불안하지만 이것 또한 내색할 수 없네. 엄마이기에.

'이만큼 힘드신지 왜 말씀을 안 하신 거지?'
'하긴 그저 나 바쁘다고 그럴 틈을 드렸었나.'

엄마를 향한 미어지는 미안함과 속상한 원망, 그 모든 것이 뒤범벅되어 그날 나는 집을 잠기게 할 만큼 눈물을 쏟아냈다. 나를 푹 적시는 눈물 속에서 그간 얼마나 철없는 딸이었는지, 엄마에게 사랑한다는 표현이 얼마나 겉핥기식이었는지 사무치게 깨달았다. 그동안 몸이 편치 않아 예민해져 있던 엄마를 낯설어하며, 잠시 거리를 두는 게 현명한 방법이라고 생각했던 나의 어리석음에도 벌주고 싶었다. 하지만 저릿한 이 마음을 전할 엄마가 사라질 수도 있다는 생각에, 그날 나의 밤은 구슬픔에 절규했다.

언제쯤이었을까. 보호자실 소파 두 개를 붙여서 잠을 자고, 병원에서 밥을 먹고 샤워를 하는 게 익숙한 일상이 되어갈 때쯤, 중환자실에서 나를 찾는 인터폰이 울렸다. 아……. 그토록 바라던 엄마가 돌아오셨다. 오랜 시간 침묵으로 지내셨던 엄마의 몸은 어느새 어린아이가 되어 있었다. 얼마나 시간이 흘렀는지, 여기가 어디인지 알 길 없는 엄마의 눈은 깨어나자마자 가족들을 찾았다. 여전히 엄마 안을 가득 채우고 있는 인공호흡기에 의지해 계시면서도 제일 먼저 한 일은 가족들의 안부를 챙기는 일이었다. 그새 글씨도 잊으신 엄마는 그림인지, 글씨인지 애매한 문자들을 잘 쥐어지지 않아 벌벌 떨리는 주먹으로 힘겹게 그리셨다. 엄마가 그린 그림은 가족들의 각각 이름과 '모두 사랑해요.'라는 문장이었다. A4용지를 가득 메우는 엄마의 필체에서 느껴지는 기적적인 생명력이 내 마음을 두드렸다. 막막했던 일상이 먹먹한 감동과 감사로 뒤덮이는 날이었다.

그날, 그 그림 같던 문장들이 지금까지도 나를 평온하게 이끌어주는 원동력 같다. 지금도 힘들고 어려운 일이 겹겹이 쌓일 때도 환희의 그날을 떠올리면 다 괜찮다고만 하는 듯, 나를 달래준다. 어쩌면 우리의 삶을 끌고 가는 힘은 시련에서 시작되는 건 아닐까. 그 시련이 결국엔 평온의 순간을 만끽하게 만들어주니 말이다.

불행이 밀물처럼 밀려와도 그 안에서도 언제나처럼 존재하는 바다의 내음과 넓디넓은 풍경을 음미할 줄 안다면, 우리는 힘들어도 버텨낼 수 있을 것이다. 마음속 눈물이 거친 파도를 만들어내는 순간에도, 스쳐 지나가는 풍경에 멈칫하며 위로를 받는 것이 삶이니 말이다.

엄마들의 마음은 다 똑같다

병원의 북적거리는 풍경도, 코끝을 스치는 소독약 냄새도 모든 게 낯설고 두렵던 20대에 병원생활은 뜻하지 않게, 갑작스럽게 시작되었다. 엄마가 일반병실에서 중환자실로 옮기실 때는 느닷없이 보금자리를 잃어버린 사람처럼, 병실에서의 살림살이들을 정리하며 괜히 서러워지기도 했다. 모든 게 낯선데 상황은 긴급해서 슬퍼할 마음의 여유조차 허락되지 않을 때였다. 그저 응급의 순간을 한 번, 한 번 넘길 때마다 가슴을 쓸어내리며, 나의 가슴에 십자가를 새기기라도 하듯 셀 수 없이 성호를 긋고, 또 긋던 시절이었다.

그럼에도 엄마가 잘못될 거라는 생각은 하지 않았다. 드라마에서나 보던 심장충격기로 엄마를 들었다 놨다 할 때도 엄마는 괜찮으실 거라고, 좋아지실 거라고 굳게 믿었다. 그때는 긍정적인 성격 덕분에 의연하게 넘겼다고 스스로를 칭찬했지만, 지금 생각해보면 죽음의 그림자에 대한 현실을 너무도 몰랐던 나이였기에 가능했던 것 같다. 지금은 응급의 상황이 오면, 상황을 대하는 행동은 예전보다 차분하고 유연해졌지만 오히려 두려워지는 마음은 더 짙어진 듯하다. 어쨌든 그 당시 병원에서 만났던 사람들은 나의 낙천적인 모습을 어여삐 여기며 애정 어린 시선을 나눠주었다.

중환자실 보호자실에서 보호자가 갑자기 사라지면, 환자가 차도가 있어서 일반병실로 옮겨졌거나 이 세상과의 이별을 위해 장례식장으로 옮겨졌거나 둘 중에 하나였다. 그래서 눈에 익던 보호자가 안 보이게 되는 건 때론 큰 기쁨이고, 때론 말할 수 없는 슬픔이었다. 감정의 간극이 너무도 큰 상황들을 계속 지켜보면서 나도 모르게 희망과 절망을 넘나드는 내면을 스스로 잘 매만져야 했다. 그러면서 보호자실에서 외과는 엄마 또래의 어머님이, 소아과는 30대의 젊은 엄마가, 내과는 내가 가장 오래 있는 보호자가 되었다. 외과 중환자실 보호자 중에 가장 오래 계신 어머님은 내 또래의 아들이 출장 다녀오는 길에 큰 교통사고를 당해 몇 달째 의식이 없는 상황을 묵묵히 기다리고 계셨다. 어머님은 큰 수술을 두 번 견뎌낸 아들에게 그저 감사한 마음만 가득하다고, 언제가 되어도 좋으니 깨어만 나길 바란다고 말씀하셨다.

"아가씨가 있어서 뭔가 힘이 되어요. 울고 싶은 순간이 수두룩할 텐데 아가씨의 웃는 얼굴이 참 기특해. 아가씨 아버지도 딸내미 얼굴만 보면 싱글벙글 이시네. 그러니 마음이 내키지 않는 날도 그렇게 계속 웃어요. 어머니는 꼭 좋아지실 거야."

아무 생각 없는 것처럼 보호자실에서도 허허실실 잘 웃는 나에게 어머님은 숨죽여 울고 있을 내 마음속마저 헤아려주셨다. 어머님의 마음도 타들어 가실 텐데 당신 딸처럼 나를 토닥여주셨다. 병원에 있으면서 밥은 먹어도 과일은 챙겨 먹기 쉽지 않다며 틈틈이 나의 과일까지 챙겨주셨고, 이불 찬지도 모르고 잠들어 있으면 감기 걸리면 안 된다며 어깨까지 끌어올려 덮어주시기도 했다. 그 살가운 손길과 따스한 말길에 엄마를 기다리는 삶 결이 포근해지는 날들이 꽤 많았다.

소아과 중환자실의 오랜 보호자인 30대의 젊은 엄마는 심장이 안 좋아 생사의 고비를 넘나드는 어린 딸로 가슴 졸이는 하루하루를 보내고 있었다. 눈물이 메마를 날 없는 그녀의 시간 속에서 어느 날 어머님이 말씀을 건네셨다.

"애기 엄마. 애기 엄마 아픈 마음을 내가 어떻게 위로할 수 있겠어요. 나도 이렇게 힘든데, 생 속인 애기 엄마는 어떻겠어. 근데 어디선가 들었는데, 자식을 잘 지켜낼 수 있는 엄마에게 아픈 자식을 내려준다 하더라고요. 나도 그렇고, 애기 엄마도 그렇고……. 우리, 아이들이 이 세상에서 단단하게 지낼 수 있게 잘 지켜주자고요. 그러려면 엄마인 우리가 단단해져야 해요."

옆에서 그 말을 듣고 있자니 누군가 나의 속을 꺼내, 흥건히 적셔진 심장을 쥐어짜는 느낌이 들었다. 흐느끼는 젊은 엄마의 울음소리에 어느새 내 귀에도 그렁그렁 눈물이 맺혔다. 어머님은 엄마로서의 마음과 아직 여린 30대 여자로서의 마음 모두를 헤아리며 젊은 엄마를 감싸주셨다. 다행히도 젊은 엄마가 제일 먼저 일반병실로 갔고, 그 다음이 내 차례였다. 나중에 어머님도 일반병실로 가셨다는 얘기를 전해 들었고, 그 후에 휠체어에 탄 아들을 데리고 병원을 산책하시는 모습을 우연히 보게 되었다. 어머님은 당신이 하신 말씀대로 아들을 잘 지켜내고 계셨다. 그 뒤로 병원 복도에서 볼 때마다 아들은 좋아지는 게 눈에 보였고, 어머님은 고단하신 게 마음으로 느껴졌다. 하지만 어머님의 눈동자는 중환자실 보호자실에 있을 때보다 꽉 찬 생기로 가득하셨고, 나와 우연히 마주할 때마다 마음으로 웃어주는 걸 빠뜨리지 않으셨다.

당신 자식이 무의식 속을 헤맬 때, 그 시간 속에 엎드려있기보다 주변의 자식들을 제 자식처럼 챙겨주시던 어머님의 마음, 그 마음은 결코 쉬운 마음이 아니었다. 고귀하고 견고한 사랑이었다.

'신은 모든 곳에 있을 수 없기에 어머니를 만들었다.'는 유대인 속담이 있다. 엄마라는 이름을 갖게 되면서, 자신보다 더 소중한 아이를 위해 여성들은 끊임없이 성장하는 것일까. 그래서 엄마가 되어봐야 진정한 어른이 된다고 하는 것일까. 정말이지, 자식들을 생각하는 이 세상 엄마들의 마음은 다 똑같다. 그 거룩하고도 절절한 엄마들의 촘촘한 마음에 애틋한 경의를 표한다. 더불어 그때 그 어머님이 여전히 아들과 함께 건강히 지내고 계시기를 바란다.

차라리 대신 아플 수만 있다면

아픈 자식을 바라보는 일만큼 고통스러운 일도 없다고 하지만, 그 반대도 마찬가지가 아닐까. 누구든 소중한 사람의 아픔을 바라보는 건 매일, 매일 심장에 쥐가 나는 일일 것이다.

엄마가 중환자실에서 벗어난 기쁨도 잠시였다. 더 야위어질 수 있을까 싶은 모습의 엄마인데도 음식은커녕 물 한 모금 편하게 삼키기 어려운 상황이었다. 삶을 영위해 가는데 당연한 숨쉬기조차 버거운 엄마를 마주하는 것은 나를 두들기는 어떠한 고통보다 숨 가쁘게 다가왔다. 그 와중에도 엄마는 보조침

대에서 자는 나를 안쓰럽게 여기며, 자신의 침대에 올라와서 같이 자자고 하시거나 집에 가서 자라고 하시며 되레 딸 걱정을 하느라 바쁘셨다.

아파도 좀처럼 아프다고 말씀하시지 않는 엄마였기에 아파하는 엄마를 바라보는 건 머리부터 발가락 끝까지 쪼그라드는 기분이었다. 엄마가 괜찮아지시기를 기도하고 바라는 것뿐, 곁에 있어도 도울 수 있는 뾰족한 방법은 사실, 없었다. 어린 시절 도무지 떨어지지 않는 열 감기에 온몸이 끓어올라 괴로워하는 나를 바라보던 엄마의 눈빛이, 나의 눈동자에서 겹쳐졌다. 차라리 당신이 대신 아팠으면 좋겠다며 밤새 내 옆을 지키던 엄마의 손길이, 불안감으로 가득 찬 내 손끝에서 느껴졌다. 내가 아프면, 대신 아팠으면 좋겠다고 바라던 엄마의 마음이 어떠한 심정이었는지 사무치게 스며들었다.

"나는 어리니까, 차라리 내가 대신 아팠으면 좋겠어요."
가슴 아파하는 나의 말에, 기력 없으시던 엄마가 목소리에 단호한 힘을 실으셨다.
"그냥이라도 그런 얘기하지 마라. 내가 이렇게 아파도 너희들 보면서 버티는 건데, 니가 아프면 엄마는 미어져서 못 산다. 그러니 그런 말 하지 마라. 이렇게 아픈 건 나 하나로 족해. 모쪼록 엄마 보면서 건강 잘 챙겨요. 건강은 건강할 때부터 챙기는 거란다."

엄마는 그저 자식이라는 존재가 곁에 있는 것만으로도 삶의 이유가 충분하다고 하셨다. 오히려 대신 아팠으면 좋겠다고 말하는 나의 마음을 가엾게 여기며 미안해하셨다. 누워 계시는 동안에도 가끔씩 단꿈처럼 평온이 찾아올 때면, 병원 생활로 혹여나 딸들이 몸살이나 나지 않을지 건강 잘 챙기라는 당부의 말씀을 잊지 않는 엄마였다.

대신 아픈 것이 가능해졌으면 바라는 나의 바람은 지금까지도 진행형인 소원이다. 언젠가는 투병하는 사람의 아픔을 건강한 사람이 조금만이라도 나눌 수 있는 의술이 개발되기를 바랄 정도이니 말이다. 건강한 사람의 헌혈로 긴급한 사람이 수혈을 받아 생명에 도움을 받는 것처럼, 통증도, 호흡곤란도, 모든 병의 아픔도 나눌 수 있는 방법이 나왔으면 하는 바람이다. '대신 아팠으면…….' 하고 소원하는 많은 이들의 간절한 사랑 앞에, 어쩌면 가장 필요한 기술이 아니겠는가…….

알알이 엮은 미소 송이에 춤을 춘다

　죽음의 문턱에서 겨우 돌아온 엄마가 15여 년 삶을 끌고 오기까지 눈물겨운 날들은 헤아릴 수 없다. 순간순간 아프고, 또 아팠을 텐데 엄마만의 위대한 인내심과 의지 하나로 견뎌온 나날들이었다. 그런 엄마가 또 다른 나쁜 병을 선고받았을 때, 세상이 주저앉는 것 같았을 텐데 그 마음을 어떻게 다독일 수 있었을까. 어두컴컴한 동굴 속에 갇혀버린 것 같은 절망감을 어떻게 떨쳐낼 수 있었을까. 지난여름, 의사선생님의 청천벽력 같은 선고 이후에도 엄마는 변함없이 아무 일도 없던 것처럼 조용히 자신만의 일상을 이어갔다. 나는 그 모습이 존경스러우면서도 아파서, 몰래 훔친 눈물을 홀로 주워 담는 순간이 잦기도 했다.

엄마의 건강 상태로 큰 수술을 버텨낼 수 있을지 병원에서도 염려했지만, 그래도 수술이 최선의 방법이라고 했다. 수술 날이 다가올수록 서로를 마주 보는 우리 가족의 눈빛은 더욱 깊어졌고, 침묵의 시간은 한결 더 길어졌다. "괜찮을 거야. 힘내자. 다 잘 될 거야." 등의 막연한 긍정 에너지도 감히 나눌 수 없었다. 서로의 마음속에 불안함과 두려움의 싹이 돋아나고 있었지만, 애써 모른 척 묻어두고 지금의 순간에만 고요히 집중할 수밖에 없었다.

때때로 엄마는 눈에 희망의 봄바람을 가득 싣고선 "걱정하지마. 내가 잘할게."라고 오히려 가족들을 감싸주시기도 했다. 그래, 엄마는 늘 그랬다. 살랑살랑 봄바람 감성을 갖고 계시면서도 삶이 흔들릴만한 일에는 그 작은 몸 안에 마치 묵직한 추가 있는 것처럼 가족 모두의 중심을 잡아주시곤 했다. 그게 얼마나 쉽지 않은 일인지, 내 나이의 숫자가 늘어날 때마다 깨달음의 깊이도 자라난다.

병원의 배려로 제일 일찍 수술 일정을 잡을 수 있었고, 수술실로 들어가기 전까지도 엄마는 차분함을 잃지 않으셨다. 그런데 마지막 들어가시던 찰나, 엄마의 작은 혼잣말이 내 귓가를 때렸다.

"무서워. 들어가기 싫어……."

속삭이듯 불어오던 엄마의 문장은 그 어떤 거센 바람보다 나에게 크게 휘몰아쳤다. 엄마의 불안을 잠재워 드렸어야 했는데, 괜찮다고만 하는 엄마의 말을 철석같이 믿었다. 아니, 믿는 것밖엔 내가 할 수 있는 게 없었다. 엄마의 불안에 충분한 자장가를 불러드리지 못했다는 생각이 나를 휘감았다. 밀고 올라오는 눈물을 겨우 붙들어 매고 애꿎은 손만 쥐었다 폈다를 반복할 때, 보호자 대기실 TV에서 〈인간극장-포도밭 울 엄니〉가 시작하고 있었다.

포도밭 농사를 짓는 내 나이 또래의 장가 안 간 아들의 일손을 도와주며 지내는 모자의 일상이 담겨 있는 다큐 프로그램이었다. 포도밭 엄니는 친환경 무농약 농사법을 주장하는 아들의 방법이 마땅치 않음에도 불구하고 든든한 믿음을 보내주셨고, 아들의 결혼을 재촉하며 티격태격하다가도 아들이 사다주는 순대 한 봉지에 아이보다 더 아이 같은 미소를 보여주셨다. 그 미소는 생김새는 달라도 우리 엄마의 것과 똑 닮아 있었다. 아들이 챙겨주는 달콤한 음료 한잔에 온 세상을 다 가진 듯 행복해하는 포도밭 엄니에게서, 울 엄마를 만났다. 수술대에서 홀로 모든 것을 감당해내고 계시는 엄마가 대신 보내주는 미소 같았다. 잘 마치고 곁으로 갈 테니 불안해하지 말고 있으라는 메시지가 담겨 있는 듯했다. 덕분에 초조함으로 온몸에 한기가 도는 것 같은 긴 시간을 기다리면서도 조금은 평온함을 찾을 수 있었다.

그러고 보면, 우리네 엄마들의 미소는 포도송이 같다. 송이송이 알알이 엮어지는 엄마의 입꼬리에 자식들은 모든 불안을 잠재우고, 두둥실 달콤함을 만끽하게 되니까……. 자식들을 향한 꾸준한 미소가 쉽지 않은 일임을 이제야 알겠다. 얼마나 많은 불안과 눈물을 잠재우며 열매 맺은 미소인지 이제야 조금, 아주 조금 알 것 같다.

초코빵은 사랑을 싣고

지난가을, 어려운 수술을 받으신 엄마는 지금까지도 회복과 부작용의 힘겨운 줄다리기를 이어가고 계시다. 그간 오랜 투병생활의 굳은살로 우리는 의사선생님이 알려주지 않으셔도 몸을 부지런히 움직여주는 것이 오히려 빠른 회복에 도움이 된다는 걸 잘 알고 있었다.

수술 후 거동이 불편하셨던 엄마의 움직임에 활기를 불어넣기 위해 나는 잔꾀를 냈다. 초코빵을 사달라고, 엄마가 사주시는 초코빵이 먹고 싶다고 어린애마냥 '초코빵, 초코빵' 노래를 불러댔다. 엄마가 계신 병동에서 초코빵이 파는 베이커리가 있는 병동까지는 거리가 꽤 됐었다. 게다가 아물지 않은 상처에 각종 주사와 피 주머니를 차고 계셨음에도 엄마는 그날부터 나와의 빵 쇼핑을 기꺼이 즐겨주셨다.

언제부턴가 아침식사가 끝나고 나면, 환자복 주머니에 3천원을 꼬깃꼬깃 접어 넣고 얼른 빵 사러 가자며 오히려 엄마가 나를 재촉하시기도 했다. 늙어가는 딸을 위해 직접 사주시려는 빵 하나에 엄마의 발걸음은 경쾌해 보이기까지 했고, 그 걸음에 발맞추어 내 마음은 먹먹함을 헤쳐 나와야 하기도 했다. 그렇게 초코빵 하나를 들고, 엄마의 보폭에 발맞추어 제주도 둘레길 걷듯이 병원 둘레를 걸으며 회복을 바라는 우리의 시간은 깊어갔다.

가을의 끝자락에 퇴원을 한 후로 병원을 갈 때마다 엄마와 나는 실랑이 아닌 실랑이를 하게 되었다. 병원 가는 걸로 딸 시간을 뺏는 건가 싶은 엄마는 혼자 가겠다고 고집을 부리셨다. 어느 날 문득, 병원에서의 초코빵이 떠올라 나는 또 한 번 잔꾀를 냈다.

"저 엄마랑 병원 가는 거 아니에요. 초코빵 먹고 싶어서 빵 사러 가는 거예요."

내 말에 희미한 미소를 숨기시던 엄마는 그날부터 빵 사러 병원 가는 거라고 하면 나의 동행에 더 이상 고집을 부리지 않으신다.

급한 일이 겹쳐 병원을 함께 가지 못한 날이 있었다. 잘 다녀오셨는지, 별일은 없었는지 종일 걱정을 하던 나는, 집에 오자마자 엄마가 내미는 초코빵 하나에 눈물을 쏟고 말았다. 진료만 보고 오는 걸음도 힘드셨을 텐데도 초코빵 하나를 품고 온 엄마의 마음을 나는 어떻게 받아야 할까……

이기주 작가님의 책 〈사랑은 내 시간을 기꺼이 건네주는 것이다.〉를 내밀며 "엄마랑 같이 병원 가고 싶은 건 내 사랑의 표현이에요." 했더니, "자식이 기꺼이 건네주는 시간에 마냥 미안해지는 것도 부모의 사랑이기도 해." 하신다.

주고 또 주는 엄마의 마음을, 다 헤아릴 수 있는 날이 오게는 될까.

이해하면서도 이해 안 되는,
배틀 아닌 배틀

　병원에 있다 보면 여자들이 모여 있는 병동에는 진풍경이 펼쳐진다. 입원 기간은 중요하지 않다. 너도 나도 "언니, 언니" 하는 소리에 어디 동문회에 와 있는 듯한 착각마저 들게 한다.

　일찌감치 시작되는 병원의 하루는 환자들의 상태를 체크하는 간호사 선생님들의 발자국 소리로 문을 연다. 하지만 그보다도 서로의 밤사이 안부를 챙기는 환자들 간의 목소리가 활기찬 기지개를 켜게 한다. 병원의 공기를 누가 삭막하다 했는가. 내가 보기엔 누구랄 것도 없이 다들 아픈 거 같은데 서로 더 아프지는 않은지 상대의 아픔을 들여다보는 그 마음들을 엿듣다 보면, 아름다운 광경에 그저 넋을 잃게 된다.

어디가 얼마나 아픈지, 왜 아프게 됐는지 사연들을 듣다 보면 모두가 다 절절한 한 편의 미니시리즈 아니면 주말 드라마의 주인공들이다. 부산에서 함께 사는 90대 노모가 딸이 아픈 걸 알면 충격 받으실까 봐 잠시 여행 다녀온다는 거짓말을 하고, 홀로 수술 받으러 온 70대 딸. 남편을 일찍 여의고 평생 물질하며 자식들 뒷바라지로 악착같이 살아왔는데 갑자기 시한부 선고를 받게 된 50대 제주도 해녀. 수술한 지 2개월 만에 상태가 심각해져 재수술을 하게 된 어린 두 아들을 둔 30대 엄마. 5년 가까이 투병하는 중에 여동생이 같은 병을 진단받게 되어 기꺼이 동생 곁을 간호하며 자신의 투병 경험을 나눠주는 60대 언니.

그들이 나누는 이야기에는 삶의 진득한 희로애락이 고스란히 녹아 있었다. 같은 '병명'으로 삶과 죽음을 다시 바라보게 된 사람들의 묵직한 공감대는 깊고도 진할 터였다.

눈물 없이 듣기 힘든 애절한 주인공들의 목소리에 힘찬 미소가 실리는 때가 있다. 바로, 자식들 이야기를 할 때다. 그때만큼은 모두의 얼굴에 고통, 걱정, 근심 따위는 없었다. "우리 아들은, 우리 딸이⋯⋯."로 시작되는 그들의 문장에는 삶의 환희와 행복만이 담겨 있었다. 시한부 선고를 받은 제주도 해녀분은 딸이 제주도에서 제일 큰 종합병원의 간호사인데, 자신의 간호를 위해 휴직을 하고 곁에 있다며 목소리에 힘을 실으셨다.

"아이고 똑똑한 딸이 마음까지 예쁘네."
"엄마가 힘들게 키운 보람이 있네요."
"세상에, 요즘 이런 효녀가 어디 있어요?"

맞장구쳐주고, 거들어주는 사람들의 한마디, 한마디가 쌓여갈수록 수심 깊은 해녀분의 검은 낯빛에 발그레 생기가 돌았다. 한 사람이 시작하면, 어느새 자식 이야기는 탁구경기의 탁구공처럼 주고받으며 가속도가 붙었다. 끝나지 않을 것 같은 자식 자랑 배틀이 절정으로 향하는 순간이다. 나는 그 절정의 순간이 아름다우면서도 저릿해져 슬쩍 자리를 피하기도 했다.

아픔을 잊고, 출산한 그 순간의 환희를 영원토록 기억하는 것이 엄마들의 숙명인걸까. 엄마들에게 자식은 당신들의 아픔까지 잊게 만드는 존재인걸까. 막 끝낸 수술로 통증에 사경을 헤매면서도 자식들이 병문안을 오면 그저 반기는 엄마들이었다. 당장 진통주사가 없으면 덜덜 떨리는 상황에서도 "밥은 먹었니?"라며 자식들의 끼니를 걱정했다. 우리가 모르던 시간 속에서 어쩌면 우리보다 더 여리고 여린 여자였을 텐데……. 엄마들은 살면서 마주했을 수많은 아픔들을 어떻게 흘러 넘기며 이렇게나 단단해진 걸까. 내 생각을 읽기라도 하듯, 엄마 말이 들리는 것 같았다.

"니가 애를 낳아봐야, 엄마 마음을 알지."

매달리던 눈빛이 전하던 이야기

　병원에서 아픈 가족을 바라보는 보호자의 눈빛에선 침묵의 흐느낌이 들린다. 간병의 고됨과 불안한 슬픔으로 늘 보호자의 눈동자는 눈물을 잔뜩 머금고 있다. 하지만 더 아픈 환자를 생각하느라 차마 눈물을 쉽게 떨구지도 못한다. 그저 보호자와 환자는 서로의 눈빛을 부둥켜안고 간절한 한 가지, 쾌유에만 매달리게 된다.

　병원 휴게실에 있던 어느 날, 엄마 연세쯤 되어 보이던 아주머니가 말을 걸어왔다.

"엄마가 아프신 거예요? 오래 아프신 거 같던데, 어디가 안 좋은 거예요?"

얼마 전 엄마와 휴게실에 있을 때, 우리 모녀를 유심히 바라보던 아주머니셨다. 그렇다는 내 대답이 끝나기가 무섭게 아주머니는 내 쪽으로 다리를 고쳐 앉으셨다.

"나는 우리 딸이 아픈데 뭘 해주면 좋을 거 같아요? 내가 집에 데려가서 어떻게든 낫게 해줄 거거든. 이렇게 떠나게 둘 순 없어요!"

의사선생님도 아닌 나에게 뭐라도 알려달라는 간절한 눈빛은 나의 마음을 붙들었다.

"내일 환자들을 위한 강의가 있다던데 같이 가시겠어요?"

"그거 환자나 보호자 중에 한 명만 들을 수 있다던데……."

"살짝 선생님께 부탁드려 보려고요. 저랑 슬쩍 뒤에 같이 들어가세요."

강의 날 뒷좌석에서 내 옆에 앉으신 아주머니는 필기하느라 정신이 없으셨다. 한 글자라도 놓칠세라 뒤 페이지에도 자국이 남을 만큼, 꾹꾹 눌러쓴 글씨에서 딸을 향한 깊고도 애틋한 사랑이 느껴졌다.

　강의가 끝나고 아주머니와 딸은 곧바로 퇴원 수속을 밟았다. 다행히 딸의 수술 결과는 좋은 듯했다. 휴게실에서 다시 만난 아주머니는 내 손을 꼭 잡고는 뭐가 그리 고마운지, 고맙다는 말을 계속 되풀이하셨다. 아주머니는 꼭 딸을 살려놓겠다고 본인에게 세뇌의 의지를 다지듯 나에게 몇 번이고 말씀하시고선 병동을 나섰다. 차마 딸에게 자신의 마음을 비출 수 없어 나에게 대신 말씀하시는 것 같았다. 딸과 손을 꼭 잡고 엘리베이터를 타는 아주머니의 허리는 참 많이도 굽어져 있었다.
　'딸 간병하다가 아주머니가 병나시면 안 될 텐데…….'
　엄마들의 눈빛은 늘 애달픈 직진이다. 그래서 딸들은 고맙고도, 속상하다.

　조건 없는 무한 사랑이 엄마라면 당연히 해야 하는 것이 아닌데, 그 사실을 어리석게도 종종 깜빡한다. 아이를 키우며, 하루에도 열두 번도 넘게 오르락내리락하는 감정을 붙들어 맨다는 친구들의 이야기만 들어도 엄마의 사랑에 당연한 건 없는데 말이다. 자신도 잃어버린 채, 자식을 향해 뒷바라지하는 엄마의 사랑 바침은 그야말로 끈기가 담긴 노력이다. 그러니 엄마의 사랑이 짝사랑이 되어버리지 않게 우리 자식들도 매 순간 노력했으면 한다. 내리 사랑이라고 하여도 완전한 사랑은 쌍방향일 때 완성되는 게 아니겠는가…….

그저 옆에만 있을 수 있다면

겨울향이 짙던 어느 날, TV에서 〈앎-엄마의 자리〉라는 다큐 프로그램을 만났다. 당시 사람들을 사로잡던 드라마를 보기 위해 채널을 돌리다 우연히 만난 프로그램이었다. 젊은 엄마들의 투병기를 담은 내용은 방영하는 내내 눈물범벅이 되는 시간으로 만들었다. 너무 울어서 몸도 마음도 아팠던 프로그램이었지만, 이따금씩 생각나는 짙은 울림이 있던 다큐 프로그램이기도 하다.

시한부 선고를 받고 투병하는 30~40대의 젊은 엄마들의 투병기는 그야말로 애절하고도 애통한 울부짖음이었다. 희망을 품기에는 병이 너무 깊어져 버렸고, 그렇다고 삶을 포기하기에는 초롱초롱한 아이들이 온 마음으로 밟히던 엄마들……. 그저 아이들만을 생각하는 마음으로 고통스러운 투병의 과정도 아무렇지도 않다는 듯 미소 지으며 인터뷰하는 엄마들에게서, 아이러니하게도 삶의 진한 아름다움을 느낄 수 있었다.

"좋은 엄마도, 나쁜 엄마도 아닌 그냥 옆에만 있어주는 엄마이고 싶어요."

길어야 6개월 정도의 시간만이 주어졌건만, 그럼에도 아이들을 위해 끝까지 포기하지 않고 삶의 의지를 다지던 30대의 젊은 엄마. 그녀는 아이들에게 아픈 모습으로만 기억되고 싶지 않다며, 모진 치료를 받으면서도 자신의 일을 끝까지 놓지 않는 강인함을 보여주었다. 처절하게 삶에 몸부림쳐도 이별의 순간은 야속하게 찾아왔다. 그녀가 꽃 같던 두 딸들을 두고 감았을 눈꺼풀의 무게를 나는 감히 헤아릴 엄두조차 낼 수 없었다. 그저 아이들 곁에만 있게 해달라고 바라던 그녀의 간절하고도 눈물겨운 고백이 '우리 엄마도 그랬을 텐데…….' 싶어서 지금도 종종 아릿해진다.

　자식에게도, 부모에게도 서로가 각자의 자리를 오래도록 지켜주는 것만큼 큰 선물은 없을 것이다. 그걸 알기에 다큐 프로그램 속 엄마들도 엄마의 자리를 지키기 위해서 지독한 병마와 맞설 용기를 가졌으리라.

　가끔씩 주변에서 엄마가 오래 편찮으셔서 힘들지는 않은지 물어온다. 그때마다 순간의 망설임도 없이 "전혀요."라고 대답한다. 나의 욕심일지는 몰라도 아픈 엄마여도, 그저 곁에 계시면 마냥 감사하고 또 감사하다. 엄마의 자리는 어떤 모습이어야 한다고 규정지어진 것은 없지만, 실로 엄마의 존재는 그 자체만으로도 든든하고 드넓은 산이 된다. 시간이 흐르고 흘러 그 산이 말라가고, 산등성이가 굽고 굽어지며 초록의 빛깔이 사라져도 자식들에게는 그저 세상에 하나밖에 없는 버팀목이 되어주니 말이다.

　다큐 프로그램에 출연한 각 가족들의 산이었던 어머님들이 지금의 자리에서 모두 평안하시기를 바란다. 삶을 향한 어머님들의 강인한 흔적만으로도 아이들은 견고하게 뿌리를 내리고 잘 성장하고 있을 테니 말이다.

꽃 같은 가르침,
피어나는 삶

중환자실에 계시던 엄마는 그야말로 종합병원이었다. 신장, 심장, 폐, 간, 위, 혈관 등 어느 하나 제 기능을 하는 기관이 없었고, 온몸에 홍수가 난 것처럼 계속해서 복수는 차올랐다. 폐렴에 패혈증까지 겹쳐 하루하루 살얼음 얼은 강가를 기어가는 심정으로 엄마를 마주했다. 급성신부전증까지 찾아와서 중환자실에 있으면서부터는 24시간 투석을 해야 했고, 일반병실로 와서도 4시간 혈액투석을 이어 가야 했다.

퇴원을 하고도 4시간 혈액투석을 하러 이틀에 한 번 병원을 다녔는데, 엄마는 그 시간을 버텨내기 힘들어하셨다. 4시간을 채 채우지 못하고 저혈압 쇼크가 오는 날이 많았으며, 다음 투석을 하러 가기 전까지는 호흡곤란으로 긴급한 순간이 오는 날이 많았다. 의사선생님께 의논을 드려도 지금 당장은 이 방법이 최선이라는 말만 들을 수 있었다. 언제까지 투석을 해야 하는지, 신장 기능이 돌아올 가능성은 있는지, 신장 이식은 가능한지 모든 답은 물음표였다. 그렇게 매 순간 구급차에 탄 것 같은 긴박한 일상이 반복되면서 엄마의 눈동자는 점점 텅 비어갔다.

투석실에서 투석을 받는 분들은 버석한 낯빛에 텁텁하게 마른 입술, 텅 빈 눈동자의 얼굴을 하고 있었다. 투석실에서의 무기력한 공기를 마주할 때마다 그들의 힘없는 아픔에 내 눈동자도 함께 비워져 가는 것만 같았다. 그러던 어느 날, 우연히 만난 아주머니는 엄마를 애처롭게 바라보시더니 식이요법을 잘하라고 하셨다. 아주머니는 엄마 근처에서 투석을 하던 아저씨의 보호자셨는데, 우리를 만날 때면 잊지 않고 엄마의 식이요법을 당부하셨다.

"우리집 아저씨 봐요. 처음에는 관리 잘 하면 투석을 안 할 만큼은 신장기능이 돌아올 수도 있다고 했는데 저렇게 먹고 싶은 거 다 먹으면서 말 안 듣더니, 이제는 신장이 이예 죽어버렸어요. 에휴. 그러니까 힘들어도, 꼭 식이 조절 잘 하세요."

애석해하는 아주머니의 얘기가 무안해질 만큼, 아저씨는 그 와중에도 벌건 해장국을 드시는 데 여념이 없었다. 투석을 받는 팔은 허벅지만큼 부어 있었고, 다른 팔은 앙상해진 겨울 나뭇가지 같았다. 아저씨의 해장국을 향한 숟가락질이 더 이상 돌아올 길 없는 신장을 향한 애타는 손짓 같았다. 엄마는 저만큼도 버텨낼 힘이 없을 텐데 엄마의 삶 앞에서 나의 마음은 급해졌다.

초등학교 저학년 체중 정도밖에 나가지 않았던 엄마는 잘 드셔야 했지만, 신장을 생각하면 무조건 잘 드시는 게 도움이 안 되었기에 아이러니한 두 가지의 균형을 잘 잡기 위해 음식의 저울질을 시작했다. 아무 미동도 없던 엄마의 신장은 언젠가부터 우리의 노력에 조금씩, 아주 조금씩 대답을 보냈다. 간절한 노력 끝에, 수개월이 지나고선 투석 없이도 생활할 수 있는 기적적인 순간을 맞이할 수 있게 되었다.

투석을 그만둔 지금도 엄마의 식이요법은 계속되고 있다. 여전히 조금 간이 있는 음식을 드시면 몸이 많이 붓고, 물을 조금만 넉넉히 드셔도 심장에 물이 찬다. 향긋한 커피 한 잔에 하루의 여유를 녹아내곤 했던 엄마는 이젠 그 시간을 즐기실 수 없게 되었다. 다이어트로 잠시 식단관리만 해도 힘이 드는데 기나긴 시간 꾸준히 식이요법을 지켜내시는 엄마가 안쓰럽기도 하고, 감사하기도 하다.

"커피 한 잔을 다 못 마셔서 슬프다고 생각하면 힘들 텐데, 한 모금이라도 맛볼 수 있게 살게 되어 감사하다고 생각하면 아무렇지도 않아. 그 한 모금이 오히려 너무 맛있어서 감사해."
힘들지는 않은지 안쓰러워하는 나의 질문에 꽃 같은 답을 해주시던 엄마.

"살면서 어떠한 일이 있어도 불평, 불만하지 마라. 불평, 불만하는 것도 습관이 된단다. 매사 감사할 줄 알아야 삶에도 꽃이 피는 거란다."

내가 어릴 때부터 엄마는 순간의 불만보다 지속적인 감사의 귀함을 일러주셨다. 그 어릴 적 가르침을 생사의 앞에서도 몸소 실천하고 계시는 엄마를 눈물겹게 존경한다. 꽃 같은 삶을 피워내는 것은 스스로의 마음가짐에서부터 출발한다는 것을 엄마를 보며 느낀다. 삶은 그저 주어진 대로, 상황에 마음 맞추어 살아내면 된다고 온몸으로 가르쳐주시는 아픈 엄마를 보며, 오늘도 삶을 배워 나간다.

뒷바라지에 익숙한 뒷모습에서

어려운 수술을 마친 후, 투병하는 법에 대한 강의가 있었다. 환자나 보호자 중에서 한 명만 참석할 수 있다고 했다.

"앉아 계실 수 있겠어요?"

나의 염려에도 엄마는 직접 강의를 듣길 원하셨다. 당신이 강의 들으러 가면 너는 쉴 수 있지 않겠냐며 좀 자라고 하셨다. 자식에 대한 걱정은 정말이지, 휴식시간이 없구나 싶었다. 엄마가 강의실에 착석하시는 걸 보고 난 후, 선생님께 남는 자리가 있으면 뒤에서 들어도 되겠냐고 양해를 구하자 선뜻 자리를 내어주셨다.

　강의는 생각보다 꽤나 길게 진행되었다. 앞으로 치료할 때 주의할 점, 마인드 컨트롤 하는 법, 적절한 운동법, 식이요법 순으로 강의가 이어졌다. 선생님이 질문을 하면 맨 앞줄에 앉은 엄마는 손까지 들며 열심히 대답하셨고, 질문시간이 오면 궁금한 것들을 쏟아내셨다. 잠시나마 통증을 잊으며 집중하고 계시는 모습에 다행이다 싶었다. 하긴 엄마는 삶에 굉장히 적극적인 사람이었다. 구대표로 나가신 수영대회에서 상을 휩쓸고, 뭐든지 배우기 좋아하셨고, 도깨비방망이 두드리듯 금세 10첩 반상을 차려내셨으며, 여행을 즐기셨던 다재다능한 엄마였다. 그런 엄마가 투병하느라 얼마나 답답하실까 싶다가도, 그런 엄마여서 긴 시간 투병의지를 유지하며 단단하게 삶을 이어올 수 있는 거 같기도 했다.

　나는 강의를 듣기보다 엄마의 뒷모습을 쫓는 데 여념이 없었다. 엄마의 어깨는 언제 저렇게나 더 작아진 걸까……. 그간 나는 엄마의 뒷모습에서도 평온함을 느꼈다. 앞모습은 속일 수 있어도 뒷모습은 거짓말할 수 없다는 누군가의 말처럼, 견고하고 단단한 엄마의 뒷모습은 그 자체로 그저 내 삶의 위안이었다. 여리여리한 체구에서 뿜어져 나오는 안온한 존재감은 실로 아름답고, 위대했다.

　지금 저렇게 손을 들면 안 될 텐데, 강의에 심취해 번쩍번쩍 손을 드는 엄마가 조마조마 하면서도 귀여워서 흐뭇하게 바라보았다. 사랑스러운 엄마의 뒷모습에서, 평생 딸의 뒷모습을 쫓아가며 뒷바라지하신 엄마의 지난 시간들이 떠올라 갑자기 아득해지는 내 마음을 감출 길이 없었다. 거꾸로 스치는 시간 속에서, 학부모 참관 수업이 있을 때면 늘 뚫어져라 나를 바라보던 엄마의 행복한 미소도 떠올랐다.

　부모에게 자신은 과거이고, 자식은 미래라는 글을 본 적이 있다. 그래서 부모는 행복한 미래를 위해 아낌없이 자신의 젊은 날을 자식에게 바치는 걸까. 엄마의 뒷모습을 보며 혼잣말로 중얼거렸다. '엄마의 건강한 미래를 위해 나는 어떤 것을 바쳐야 할까.' 라고…….

　한없이 큰 산 같던 엄마의 뒷모습은 이제 아득하다. 쌔근쌔근

잠자는 숨소리도 힘겨워 보이는 엄마의 등이 참으로 작디작다. 내 손 한 뼘 크게 펴서 그 뼘 안에 다 들어오는 자그마한 언덕만이 남아있다. 그 작은 언덕을 쓸어내리면 내가 미처 헤아리지 못했을 투병의 고통과 고여 있는 눈물이 만져진다. 아픔의 시간들을 딸들에게 들키지 않으려 애쓰며, 잠들지 못하던 엄마의 수많은 날들이 손끝에 전해지는 것만 같다. 실제로 엄마의 뒷모습은 얼마나 많은 눈물을 삼켰던 걸까……. 무심히도 지나온 날들에 새삼 사무치게 미안해진다.

나를 한 아름 안아주던 엄마의 품은 이제 한없이 소박해졌다. 더 이상 엄마 품에 안겨지지 않고 내 품에 안기는 엄마인데도, 그럼에도 여전히 나는 그 품 안에서 삶의 포근함과 안락함을 느낀다. 시간이 흐를수록 점점 더 엄마의 작디작은 언덕이 위대해 보인다. 크기로 가늠할 수 없는, 희로애락이 고스란히 스며든 엄마의 뒷모습은 삶 그 자체다.

엄마의 자그마한 언덕에도 여전히 꽃이 피고, 숲이 우거지며 오래도록 생의 숨결이 불기를 바란다.

여담인데, 늦은 오후가 되어 병원에 오신 아버지는 오전에 엄마가 강의를 잘 들었는지, 컨디션은 괜찮았는지 궁금해하셨다. 나는 대답 대신 아버지에게 질문을 던졌다.

"오늘 강의에서 제일 대답 잘하고, 열심히 질문 많이 한 사람이 누구게?"
"느그 엄마!"

이 대화를 주고받던 날, 아버지와 나의 미소는 분명 보름달이었다.

엄마도 엄마가 보고 싶다

"엄마. 보고 싶어요. 나는 엄마를 보고 있어도, 보고 싶어."

언젠가부터 엄마에게 사랑한다는 표현만큼, 보고 싶다는 표현을 많이 한다. 보고 싶다는 얘기를 전하고선 볼 수 있는 관계가 영원하지 않다는 걸 깨달은 뒤로 "보고 싶다."라는 문장이 더 애틋해졌기 때문이다. 간혹 엄마는 나를 쿡 찌르며 "말로만! 시집이나 가!"라고 하시지만, 그럼에도 입꼬리에 번지는 미소를 숨기시지는 못한다.

나는 현재의 엄마를 마주하고 내가 어렸을 때의 엄마를 기억하지만, 내가 없던 시절의 엄마는 알지 못한다. 그저 엄마의 옛 추억 얘기 속에서 엄마의 생활을 그리고, 낡은 사진 속에서 앳된 엄마의 모습을 마주할 뿐이다. 엄마는 대학생 때 엄마를 잃고, 결혼 직후 얼마 되지 않아 아버지와 남동생까지 연달아 잃었다. 그 어리고 여린 나이에 연달아 겪은 가족의 죽음을 어떻게 받아들일 수 있었을까. 그 마음을 조금이라도 헤아려보려 하면, 엄마이기 이전에 그저 한 사람으로서, 여자로서 참 가엾고 애처로워진다.

엄마가 아프신 후부터 엄마의 생일이 되면 나는 얼굴도 모르는 외할머니에게 독백의 대화를 신청한다.

"엄마를 태어나게 해주셔서 감사드립니다. 뵌 적은 없지만, 엄마를 보면 할머니도 분명 좋으신 분이었다는 게 느껴져요. 당신 딸, 우리 엄마 덜 아프게 지낼 수 있게 잘 보살펴주세요."

그러면 외할머니가 울 엄마의 미소로 알겠다며, 걱정하지 말라고 얘기해주시는 것 같아 괜히 든든해지는 기분마저 들었다.

몇 년 전, 엄마의 생일에는 외할머니에게 전하는 인사 후, 엄마에게도 질문을 건넸다.

"엄마도 엄마가 있었으면 좋겠다 싶죠?"

"그럼. 항상……."

말끝을 흐리는 엄마에게서 그간 외할머니의 부재로 쓰라렸던 세월이 함축적으로 느껴지는 듯했다.

"엄마! 내가 외할머니라고 생각하고, 하고 싶은 얘기해주세요."

"……보고 싶어……."

한참이나 조용히 계시던 엄마의 입에서 달려 나온 말은 다름 아닌, 보고 싶다는 문장이었다. 왜 안 그랬을까. 사는 순간, 순간 얼마나 애달프게 보고 싶은 순간이 많았을까…….

"너희가 나 아프다고 챙겨줄 때마다 엄마 생각이 더 많이 나더라. 나는 아무 손도 써보지도 못하고, 간호할 시간도 주어지지 못한 채 엄마가 너무 빨리 떠나버리셔서……. 그 젊은 나이에 그렇게 가버리게 한 게 너무나도 한이 됐는데, 내가 아프고 보니 더 사무치네. 나이 든 엄마의 모습을 그릴 수 없다는 것도 더 서글퍼지기도 하고……. 엄마와의 이별이 너무 빨리 찾아와서 사는 동안 문득문득 이유도 없이 서러워질 때가 있었어. 그

래서 너희한테는 그런 마음을 느끼게 해주고 싶지 않았어. 그
래서 애써 버틴 것도 있는 거 같아."

　무덤덤한 엄마의 조용한 고백에 나도 모르게 목울대까지 차
오르는 눈물로 뜨끈해지던 날이었다. 엄마 말이 맞았다. 엄마
가 약해지시고 나서야, 그제서야 철없는 딸은 온 마음을 다해
엄마의 손을 잡아드리고 있다. 이런 시간이 주어지지 않았다
면 얼마나 한 많은 눈물로 삶을 물들였을까. 걸음걸이를 가르
쳐 드리고, 밥을 떠먹여드리고, 손, 발을 닦아드리던 그 시간
이 없었다면, 캄캄한 우물 속에서 눈물로 허우적거렸겠지…….
그것까지 내다보고, 죽음의 그림자가 드리워져도 그 그림자
를 덥석 따라가지 못하셨던 엄마의 깊은 마음을 이제야 조금
알 것 같다.

　가끔씩 엄마가 엄마를 너무 보고 싶어 하는 날이면 덜컥 겁이
나서, 외할머니를 쪼르르 찾는다.
　"할머니. 엄마가 할머니를 보고 싶어 하는 그 마음은 잘 알지
만, 아직은 엄마가 우리를 더 보고 싶어 하게, 우리 곁에서 지
내실 수 있게 도와주세요."

더불어 생각한다. 엄마도 엄마 이전에, 나와 같은 딸임을 늘 기억해야겠다고.

에델바이스 짙은

언제고 꺼내 볼 만한 소중한 추억은

삶을 시적으로 흘러가게 합니다

말 속을 거닐면 때론 꽃이 피어난다

　무의식 속을 한참을 헤매던 엄마가 돌아오시고선 기쁨도 잠시, 헤쳐 나가야 할 일들은 확실한 것 하나 없이 자욱했다. 때때로 엄마에게 쇼크가 찾아왔으며 구토와 통증은 당연하다는 듯 엄마 곁에서 소용돌이쳤다. 그때마다 내가 할 수 있는 건 그저 엄마의 통증 간격과 빈도에 맞춰 발을 동동 구르는 것밖엔 없었다. 엄마의 아픔 앞에서 무기력한 내 자신이 한없이 초라해졌지만 후줄근해지는 마음을 내버려 둘 순 없었다. 딸의 격정스러운 눈빛과 애태우는 손짓에서조차 엄마는 생의 의지를 되새김질하고 계셨기에 나도 뭐라도 해야 했다.

엄마에게 좋다는 건 뭐든지 했고, 또 엄마에게 좋지 않다는 건 냉정하리만치 멀리하게 했다. 엄마는 조금씩 나아지실 때마다 "딸들 덕분에 엄마가 다시 삶을 얻고 있네. 너희들 생각해서라도 엄마가 꼭 살아내야지. 고맙고, 미안하다."라는 말을 좀처럼 아끼지 않으셨다. 한없이 움츠려졌던 내 자신도 엄마의 '덕분에'라는 문장에 바로 세워지는 것만 같았다. 하지만 그 시간도 우리에게 길게 주어지진 않았고, 일희일비하는 시간들이 반복되었다. 그 속에서 무덤덤해지는 방법도 나름 터득하게 되었지만, 생사 앞에서 무덤덤의 깊이는 얄팍했으니 금세 바닥을 드러냈다.

긴 병원생활이 지속되면서 강철 같던 엄마의 의지도 힘을 잃던 때가 있었다. 왜 안 그랬을까. 나라면, 벌써 너무 힘들어서 모든 걸 놓아버렸을 텐데……. 모든 게 딸들 덕분이라며 시간의 빈틈마다 긍정의 메시지를 채워주던 엄마는 언제부턴가 "엄마 때문에, 딸들이 너무 고생한다. 너희들 생각해서라도 엄마가 이제 그만 놓아야 할까 봐. 미안해서……."라는 말씀을 하셨다. 맙소사, 엄마 때문에 라니. 엄마 덕분에 우리도 버티고 있는 걸. 그때 내가 바라보는 눈빛은 더 이상 힘이 되지 못하고, 엄마에게 또 다른 아픔이 되고 있었다. 더 이상 꽂을 곳도 없이 주삿바늘에 겨우 지탱해계시던 중환자실에서도, 겨울 찬 바람에 튼 딸 손을 더 걱정하던 엄마였으니 그 마음이 어떨까 이해도 되었다.

"엄마 덕분에, 우리도 힘이 나요."
"엄마 덕분에, 삶의 소중함이 무엇인지 알게 됐어요."
"엄마 덕분에, 내 삶과 사랑은 더욱 풍성해졌어요."
"엄마의 미소 덕분에 오늘도 행복해요. 모든 게 엄마 덕분이에요."

나는 일부러라도 엄마가 나에게 하셨듯이 '덕분에'라는 말을 틈틈이 쏟아냈다. 나처럼 엄마가 '덕분에' 양분으로 어떻게든 열매를 맺기를 바랐다. 나의 바람은 어느 날 기적 같은 순간들로 대답해 주었다. 엄마의 의지는 다시 곧게 일어나며 엄마도 일으켜 세웠고, 성실한 투병생활을 이어나갈 수 있게 했다. 기나긴 투병생활 동안 엄마에게는 종종 어떠한 치료제보다도 꼭 필요한 말 한마디가 삶을 잇는 힘이 되었다.

그러고 보면, 우리가 나누는 말에는 삶의 흐름이 담겨 있는 듯하다. '말하는 대로'라는 노래 제목도 있지 않은가. 말은 사람을, 사랑을, 삶을 유연하게 흐르게 하는 거룩하고 성스러운 힘이 있다. 어떠한 것도 힘이 되지 않을 때, 우리가 나눴던 말 속을 거닐어보자. 작은 단어 한마디가 우리를 살리기도 한다.

또 다른 부모님,
이모(異母) 이모부(異母父)

　삶과 죽음의 경계에서 흐릿해지는 엄마를 마주할 때의 시간
을 떠올려보면 그간 흘러온 시간들이 모두 기적 같다. 병원에
서도 장례식 준비를 하라며 포기했던 그 순간들을 거슬러 올라
가면, 삶의 소중함과 경이로움에 절로 숙연해진다.

　죽음이 삶의 일부라고 생각하지 못했던 그 시절, 갑자기 엄
마를 잃을 수도 있다는 생각에 두려웠던 그 시절, 이모와 이모
부는 곁에서 묵묵히 큰 힘이 되어주셨다. 이모는 엄마가 퇴원
하시는 수개월 여의 시간 동안 우리 식구들 먹을 도시락을 5단

으로 삼시 세끼 챙겨주셨다. 매끼 한 번도 겹치지 않는 반찬들로 우리 가족들 마음 지치지는 않을지 뭉근히 데워 주셨던 것이다. 그 어마어마한 퀄리티의 도시락을 배달해준 사람은 항상 이모부였다. 아버지도 중요한 일이 생기면 가끔 병원에 오시지 못하는 날이 있곤 했는데, 이모부는 도시락 배달을 명분으로 단 하루도 빠지지 않고 엄마가 입원해 계시는 동안 병원에 출석하셨다. 도시락을 드신 이모부의 출현만으로도 든든한 힘이 되던 시간이었다.

엄마가 식사를 조금씩 하실 수 있게 되면서 이모와 이모부는 아픈 사람에게 좋다는 음식은 종류별로 다 공수해오셨다. 하지만 자유롭게 먹어내질 못하셨던 엄마는 〈붕어 싸만코〉 하나면 된다고 하셨고, 엄마는 그 아이스크림을 삼등분하여 매끼 달콤한 디저트의 시간으로 만끽하셨다. 언제부턴가 이모부의 한 손에는 〈붕어 싸만코〉 하나가 빠짐없이 들려 있었다. 병원 냉장고의 냉동 칸을 열면 늘 반기던 꽁꽁 언 〈붕어 싸만코〉 하나에 내 마음에는 넓디넓은 인자한 바다가 펼쳐지는 듯했다.

출근 도장 찍듯 오시던 이모부의 도시락 든 모습이 아직도 선명하게 그려진다. 마트에서 〈붕어 싸만코〉를 볼 때면 이모부의 자상한 미소가 자연스레 떠오른다. 그 모습을 추억하면 어느새 "이모부"를 되뇌는 내 목소리엔 가랑가랑 눈물이 맺힌다. 그렇게 사람 좋던 이모부는 어느 날 갑자기 예고도 없이 떠나셨다. 홍콩 출장을 다녀오던 날, 공항에 도착하기 무섭게 언제 도착하는지 데리러 오겠다며 아버지의 잦은 연락이 계속 왔다. 직접 데리러 오는 일이 잘 없으시던 아버지였기에 의아했지만, 그게 이모부의 이별과 연관되어 있으리라 누가 상상이나 했겠던가.

"내일 발인이라 시간이 급해서 데리러 왔다."
"무슨 말이에요? 지금 얘기하시는 김ㅇㅇ이 이모부는 아니죠?"

만나자마자 생각지도 못하게 쏟아놓는 얘기에 '거짓말이야.'라는 말만 맴돌았다. 믿을 수 없는 건 아버지도 마찬가지라고 하셨다. 타국에서 마음 쓸까 봐 서울에 도착할 때까지 연락하시지 않은 거였다.

이모부는 갑작스러운 뇌출혈로 생을 달리하셨다. 장례식장에서는 누구의 입에서나 "사람 좋았는데……."라는 말이 도돌이표처럼 허공을 맴돌았다. 이모부는 정말 좋은 사람이셨다. 표현은 적어도 타인의 마음을 살필 줄 아는, 말보다는 행동으로 보여주는 멋진 분이셨다. 딸이 없으시던 이모부는 항상 우리 자매를 살뜰히 당신 딸처럼 챙겨주셨고, 그런 이모부를 어렸을 때부터 "이모봉~"하며 따랐었다. 줄곧 이모와 이모부는 나의 또 다른 어머니, 아버지였던 것이다. 그럼에도 일상이 바빠졌다는 핑계를 대며 어느새 홀로 계신 이모께 소원해지는 나날들이 이어지고 있다.

우리에게 주어진 시간은 참으로 짧고도 짧은데, 무엇이 중요한지 종종 잊고 지내는 실수를 되풀이한다. 어쩌면 사랑은 감정을 넘어서는 꾸준함일지도 모르겠다. 그러니 사랑의 관계에서 사랑받는 것에 익숙해하지 말고, 사랑하기에 배려하고, 행동하는 일들이 번거롭다 생각하지 말고, 소중한 관계에서나 할 수 있는 행복한 특권이구나 생각하며 노력해야 할 일이다. 그래야 너무도 빨리 흘러버리는 우리 삶의 순간들을 그나마 서로의 추억에 묶어둘 수 있을 테니 말이다.

따각따각, 다독다독

 지친 몸을 끌고 집에 들어올 때, 집안을 감싸는 밥 냄새와 따 각따각 도마소리만으로도 스르르 피곤이 풀리곤 했다. 엄마가 채우는 부엌의 온기에는 편안해지는 고향 같은 푸근함이 스며 있다. 뭉근한 냄새에는 밥을 먹지 않아도 마음의 허기마저 채 워주는 힘이 고스란히 담겨 있다. 그게 엄마 밥의 힘이었을까. 열이 펄펄 끓어올라 끙끙 앓던 어린 시절, 희미하게 들리던 엄 마의 도마소리가 멎으면 어느새 머리맡에는 고소한 흰 참쌀죽 한 그릇이 마술처럼 놓여 있었다. 그 죽 한 그릇이면, 다음 날 바로 툴툴 털고 일어나던 그 힘이 무엇인지, 엄마가 쓰러지시고 나서야 절감했다.

갑자기 사라진 엄마 밥에 빈약했던 나의 음식 솜씨는 갈 길이 분주했다. 고작 라면 끓이는 것과 볶음밥, 떡볶이 만들 줄 아는 게 전부였던 20대 후반, 내 도마소리는 경쾌한 따각따각이 아닌 투박하고 긴 장단의 '떡.각.뚝.탁'이었다. 좋은 음식은 어떠한 명약보다도 더 훌륭한 치료제가 되었기에 건강 레시피를 연구하며 다양한 음식을 하는 데 매진했지만, 오랜 시간 걸린 결과물은 매번 가난했다. 그래도 감사하게도 엄마는 늘 '너무 맛있다.'며 내가 공들인 시간을 드셔주셨다. 그 시간들이 나를 더 풍성하게 성장시켰음을 느낀다.

모든 것이 시간이 해결해주듯, 이제는 한 상 차려내는 데 큰 어려움이 없게 되었다. 엄마의 컨디션만큼이나 드시고 싶은 게 있는지 챙기는 일상에서 충만한 사랑을 배운다. 그래서 마음이 소란스러울 때, 마음의 정화가 필요할 때 음식 하는 데 더 몰입하게 된다. 먹을 사람만을 온전히 생각하며 씻고, 다듬고, 썰고, 볶고 차려내는 과정 속에서 평온해짐을 느끼기 때문이다.

때때로 레시피를 물어보는 사람들이 있는데 나의 요리에는 특별한 것은 없다. 그저 엄마의 건강한 삶을 위한 간절한 몸부림의 표현이었다. 더불어 오랜 병원생활로 나도 모르게 메말라가던 내 마음을 다스리기 위한 집중의 시간이기도 했다. 그렇게 음식은 나에게도, 엄마에게도 몸과 마음의 치료제였다.

가끔씩 건강한 엄마가 가득 채워주던 부엌의 공기가 그리울 때가 있다. 그리고 식구를 늘리지 않아 늘 단출한 식사를 하게 하는 엄마에게 죄송스러울 때도 있다. 하지만 어느 날, 오랜 시간 많은 것들을 썰어 움푹하게 패인 엄마의 도마, 무뎌지다 못해 칼의 기능을 잃어버린 엄마의 칼을 보며 생각했다. 도마 위에 상처 난 자국들, 뭉뚝해진 칼날이 오랜 시간 아픈 엄마의 마음일지도 모르겠다고. 그렇다면 저 마음을 어루만져줘야겠다고……. 지난 시간을 그리워하고, 미안해하기보다 지금 당장 할 수 있는 일을 해야겠다고 생각했다. 뜨끈한 밥을 함께 먹고, 그저 맛있다며 얘기 나눌 수 있는 시간을 많이 가져야겠다고 다짐했다. 그렇게 엄마의 시간을 뭉근히 데워드리고 싶었다. 몸은 아파도, 마음은 서럽지 않게 채워드리고 싶은 마음이다.

배가 가득 채워지고 마음이 따스해지는 순간들을 차곡차곡
쌓는 것은, 서로의 삶을 쓰다듬는 다독임이다. 그래서 식구(食
口)가 아니던가.

마음을 흔드는 그때, 그 소리

  가슴 철렁이던 순간을 겪고 나면, 그 순간을 떠올리게 하는 소리만 들어도 빨라지는 심장 박동이 거대한 북소리를 내는 것만 같다. 귓가 언저리를 맴도는 요란한 소리는 나도 모르게 쪼그라드는 내 마음을 두 손 모아 부여잡게 만든다.

  의식이 희미해지는 엄마를 목 놓아라 부르는 것도 엄마에게 방해가 될까봐 조심스러웠던 구급차 안, 이미 인공호흡기에 의지한 채 무의식의 상태인 엄마를 긴박하게 이동시켰던 구급차 안……. 그땐 떠들썩하게 울리던 사이렌 소리도 내 귀를 두드리지 못했다. 부산스럽게 움직이던 선생님들의 모습도 눈에 들어오지 않았다. 초를 다투는 그 시간 동안 온갖 후회로 멍들던 나의 소리 없는 울부짖음만 들릴 뿐이었다. 이렇게 차 안에서 엄마를 잃어버리고 마는 건가 싶었던 두려움은 여전히 내 속 깊숙이 어딘가에서 고요히 숨 쉬며, 때때로 내 가슴을 울린다. 그래서인지 그때는 들리지 않았던 구급차의 사이렌 소리를 마주하면, 어느새 나는 그때의 구급차 안으로 들어가 있다. 삶과 죽음 사이에서 줄다리기하는 엄마의 모습을 바라보며 온몸으로 애타는 내가 보인다. 그렇게 사이렌 소리와 내가 하나가 되면서, 나도 모르게 얼굴도 모르는 구급차 안 사람들의 걱정으로 요동친다.

사이렌 소리는 살고 싶다고, 제발 살려달라고 매달리는 절박한 아우성 같다. 저 안에 있는 환자와 보호자는 지금 생사의 고비에서 얼마나 애태우고 있을까. 어떤 생명이 저물어 가고 있는 걸까. 멀어져가는 소리 뒤에 회복과 건강을 기원하며 습관처럼 성호를 긋게 된다.

살아가는 동안 자신이나 주변의 사람들이 구급차에 타는 경험을 갖지 않는다면, 그것만으로도 축복받은 삶일 거라는 생각마저 든다. 더불어 저 일을 업으로 삼고 있는 분들에게 감사함을 넘어 경의를 표한다. 촌각을 다투는 시간 속에 매일 함께 던져지는 선 사실, 쉬운 일이 아니리라. 생명을 살리기 위해 달리는 그들의 질주는 어쩌면 자신의 생명을 단축시키면서까지 임하는 소명이 아닐는지……. 죽음으로 인도하는 저승사자의 반대말은 '구급대원'이 아닐까 싶다.

오늘도 여지없이 어딘가에서 들려오는 사이렌 소리들이 환자를 저세상으로 끌고 가는 소리가 아닌, 생으로 다시 되돌아오는 소리이길 고요히 바라고, 바란다.

주름진 시간을 다리미로 펼 수 있다면 얼마나 좋을까

"엄마, 나이 먹지 마요. 나는 나이 드는 건 괜찮은데, 내가 나이 먹으면 엄마도 나이 드니까 나는 그게 슬퍼요."

"나는 내가 늙는 건 그래도 괜찮은데 딸들이 내 나이를 따라오는 건 슬프다. 거기 좀 그대로 있어줄래?"

엄마의 시간이 너무도 빨리 흐르는 것 같아 애달픈 마음에 나눴던 이야기. 우리가 타고 가는 세월 속에 서로를 향해 달리는 같은 마음은 대화 속에서 더 간절했다. 엄마가 편찮으시면서부터 시간의 소중함이 더 깊게 새겨진다. 하루는 촘촘하고, 일주

일은 쏜살같고, 1년은 흩어져버리는 것만 같다. 그 시간 안에서 사랑하는 사람들과의 순간은 더 없이 짧게만 느껴지고, 그 짧은 시간에서조차 엄마의 시간은 주름져지고 있다. 주름져가는 엄마의 시간을 다리미로 펴 드릴 순 없어도 그 주름 켜켜이에 사랑의 시간을 채워드리고 싶은 마음이다.

엄마에게 병원 냄새가 좀 더뎌질 때쯤부터 여유가 생길 때마다 여행을 계획했다. 국내든 국외든 엄마의 건강이 조금이라도 허락하면 그곳의 먹거리와 날씨, 원하시는 곳을 고려해 여행지를 정했다. 여행을 가면 들뜬 기분 덕분인지 엄마의 통증도 엄마에게서 조금은 붕 떠 있는 것만 같았다. 모든 시간들이 기억 속에서 애틋하게 숨결을 불어넣지만 통영여행은 두고두고 생각난다.

지금의 나보다 훨씬 어렸던 엄마가 1년 가까이 살았던 곳, 통영. 사실 나도 살면서 통영이 문득문득 생각났다. 아빠를 따라 갔던 새벽 바다낚시, 엄마 손잡고 다녔던 집 근처 새벽시장, 정이 넘쳤던 이웃분들, 피아노 외에도 노래까지 가르쳐줬던 엄격했던 피아노학원 선생님, 하얗게 인형 같았던 귀여운 내 동생……. 초등학교 입학하기 전 살았던 마지막 지역이어서 그런지 더욱 생생하게 그려진다. 엄마도 나의 마음과 같아서였을까. 언젠가부터 통영에 가보고 싶다고 몇 번이고 말씀하셨다. 엄마에게 통영은 당신의 건강하고 아름답던 시절의 그리움이자, 행복이었을 터. 그 시간 속으로 데려다드리고 싶어 출발한 여행이었다.

여행지에서 마주하는 풍경은 설렘과 가슴 벅참으로 심장 박동수를 끌어올린다. 일상 속에서 종종 보던 하늘과 나무도 그곳의 공기와 분위기에 매료되어 여행지는 곧 내가 되고 만다. 그 풍경을 함께 바라보는 이가 있다면 그 감동은 이루 말할 수 없는 물결을 이루고, 훗날 스스로를 지탱하게 만드는 경이로운 추억의 한 페이지가 되기도 한다.

나에게 통영이 그랬다. 그곳에서 역시, 엄마는 반짝이며 아름다웠다. 그때 사진들을 들춰보면, 엄마는 깊게 드리워진 병색에 얼굴이 말도 아니라고 하시지만, 내가 본 엄마는 통영의 평온하고 잔잔한 바다처럼 찬란했다. 죽음의 그림자가 삼키려 했던 엄마가 삶의 빛으로 이렇게 다시 빛날 수 있다니, 모든 순간이 단꿈 같았다. 건강하고 아름다웠던 엄마의 바다를 다시 함께 바라볼 수 있게 되니, 바다의 잔잔한 넘실거림이 눈물이 되어 어른거렸다. 어쩌면 이런 시간을 주기 위해 엄마는 그 모진 과정들을 온 힘을 다해 버텨내셨던 걸까.

시간이 어찌나 빠른지, 아이에게 조금만 천천히 커 달라고 부탁하고 싶다는 친구들의 이야기가 더 애틋해지는 요즘이다. 우리에게 시침으로 흘러가는 속도가 부모님에게는 초침으로 흘러가는 것만 같다. 그러니 시간이 무심히 흘러간다고 시간을 무감각하게 흘려보내진 않았으면 한다. 부모님의 시간은 생각보다도 더 빨리 굽어지고 마니 말이다. 누구든 부모와 자식 간에 나누었던 따스한 추억과 뜨거운 그리움은 가슴 속 어딘가에서 사라지지 않고, 우리를, 사랑을, 삶을 지켜낼 것이다.

오래돼서 더 반짝반짝 빛나는

　나는 '물려받다'라는 동사가 참 포근하다. '물려받다'라는 동사를 떠올리면 자연스레 엄마가 그려져서도 그런 것 같다. 인생을 바라보는 방법도, 사람을 대하는 진심도 엄마는 자신의 삶으로 그 어느 것보다도 가치 있게 물려주셨다. 그래서 엄마에게 물려받은 물건에는 엄마의 삶이 고스란히 스며있다. 노래에도 사연이 담기면 마냥 애틋해지듯이 엄마에게 물려받은 물건들은 애틋함 그 이상으로 다가온다. 그 자체만으로도 나에게는 무엇과도 바꿀 수 없는 명품이 된다.

스타일리시하셨던 엄마의 젊은 시절, 엄마의 패션센스는 어린 내가 보기에도 참 멋스러웠다. 가을부터 롱부츠를 즐겨 신고, 모자와 벨트로 패션의 포인트를 주고, 여름이면 비비드한 점프수트로 변화를 줄 줄 아시는 엄마였다. 그렇다고 옷을 구매하는 데 돈을 많이 들이지도 않으셨다. 당신이 학창시절부터 입던 옷을 새 옷처럼 관리하시던 엄마는 몸도 그대로 관리하셨고, 돌고 도는 패션 속에서 늘 때에 맞게 믹스 앤 매치의 센스를 근사하게 보여주셨던 것이다.

이제는 몸이 아파 입지 못한다며 건네주는 엄마의 옛날 옷을 마주하면 마냥 애처로워진다. 지금의 나보다도 훨씬 젊었던 시절의 엄마가 입었던 옷이 내 몸을 감싸면, 엄마이기에 앞서서 그저 가녀리고 여린 여자였던 엄마가 내 안에서 숨을 쉬는 것만 같다. 세월 머금은 엄마의 향기에, 엄마에게 안겨있는 느낌마저 들어 한참이나 아득해진다. 엄마의 역사가 들리는 듯 절로 숙연해지기까지 한다.

"엄마. 나는 오늘 어린, 손ㅇㅇ이에요."

엄마의 옷을 입고, 나는 젊은 시절의 엄마라며 엄마의 이름을 부르면서 어린애마냥 두 팔을 벌려 빙그르르 돌며 자랑한다. 그런 나를 보고 이제는 딸에게 안겨야만 하는 엄마가 미소를 짓는다. 그러면 입고 있던 엄마의 옷소매로 무심하게 스윽 몰래, 눈물을 훔치게 된다.

몇십 년이 지난 지금까지도 새것 같은 엄마의 옷은 참 많이도 엄마를 닮아 있다. 살아가는 동안 있었을 어려운 순간들을 단정하고 정갈하게 지나온 엄마의 삶과 닮았다. 그래서 물려받은 엄마 옷을 입으면 애처로운 마음 뒤로 사무치도록 포근해짐을 느낀다. 입고 있는 내내 나를 토닥여주는 것만 같다. 건강하고 젊던 엄마를 영원히 기억할 수 있을 것만 같다.

신기하게도, 드라이를 해도 엄마가 입던 옷에서는 엄마의 향기가 은은하게 지속된다. 내 옷장을 열어 쪼르르 줄지어 있는 엄마의 지난 시간들을 쓰다듬으며 생각한다. 여전히 낡지 않은 옷처럼 엄마도 엄마의 향기가 지속될 수 있게 낡지 말아 달라고. 옷 만큼이나 단아하고도 단단한 엄마의 내면도 물려받기 위해 노력하는 딸이 되겠다고…….

계절을 건넌다는 것은

　봄과 여름 사이, 여름과 가을 사이, 가을과 겨울 사이, 그리고 겨울과 봄 사이……. 계절과 계절 사이는 모두에게 감성을 불러일으킨다. 새 단장하는 자연의 얼굴들, 손끝에 스치는 바람결의 모양, 따뜻해지거나 차가워지는 온도의 촉감을 온몸과 마음으로 느끼며 계절의 변화를 만끽한다. 지나간 계절을 그리워하고, 다가올 계절에 설레며 괜스레 떠들썩해지는 마음에 행복한 소란을 음미하게 된다.

　나도 확연한 사계절보다 계절과 계절 사이를 애정한다. 찬바람이 물러나며 꽃봉오리들이 고개를 들이밀 때, 덩달아 나도 설레며 샤랄라한 옷을 꺼낸다. 뜨거운 계절이 사그라들며, 이파리들이 알록달록 수다스러워질 때는 그 수다를 듣기 위해 분주해지기도 한다. 두 계절을 걸쳐 입은 듯한 계절과 계절 사이는 낭만 그 자체다.

하지만 어느 날부터 계절과 계절 사이가 반갑지만은 않다. 계절을 건넌다는 것이 건강한 사람들에게는 자연스럽게 주어지는 낭만이고, 즐거움이지만 아픈 사람에겐 힘겨운 벽을 겨우겨우 넘어가는 일이기 때문이다. 땅바닥을 뒹굴던 메마른 이파리들과 함께 매서운 겨울바람이 사라지고, 어느새 새싹을 돋우는 푸르른 기운이 조금씩 곁에 오는 시점이 되면, 마냥 좋을 것 같지만 아픈 이들에겐 자연스럽게 주어지는 시간이 아니다. 아픈 사람은 계절의 속도를 따라가기가 버겁다. 겨울 내내 움츠렸던 몸을 이끌고 계절과 계절의 간격을 좁히며 발걸음을 맞춰 나가기란 여간 어려운 일이 아니다.

엄마도 계절의 틈새마다 풀썩 주저앉는 일이 꽤 있었다. 그래서 바삐, 바삐 다가오는 봄이 두렵기도 했다. 아직 엄마의 몸은 봄을 맞이할 준비가 되지 않았는데, 막바지 겨울바람이 부산스럽게 거둬가는 노쇠한 이파리들이 우리 엄마일까 봐 조마조마하던 날들도 많았다. 더디더라도 노쇠한 봄도 젊은 봄보다 원숙하게 아름다울 수 있으니, 조금만 기다려달라고 겨울과 봄 사이에 기도했다. 그렇게 계절의 틈새마다 흩날리는 바람결에, 돋아나는 꽃잎에, 발에 걷어차이는 낙엽들에 안타까운 사모곡을 실어 보냈다.

그러고 보면 자연의 순환이 당연한 듯 보이지만, 그들 나름대로는 어려움의 시간이 있었을 것이다. 낙엽을 떨구고 바짝 마른 가지로 겨울바람을 맞이하기가 어디 쉬운 일이겠는가. 바짝 언 땅을 뚫고 나오는 파릇파릇함은 수월한 일이겠는가. 얼마나 많은 시간과 고단함이 숨겨져 있겠는가. 자연스럽게 보이는 자연의 생명력도 이리 어려운 일이거늘, 우리가 계절을 따라가는 건 어쩌면 매 순간이 기적인지도 모른다.

늦가을, 아직은 서늘한 바람에 한껏 안겨있고 싶지만, 엄마는 손끝을 스치는 선선한 바람결에도 날이 차가워졌다며 떠나려는 가을보다도 먼저 움츠러드시곤 했다. 그래서 나는 계절의 건널목마다 마음의 끈을 동여맨다. 계절과 계절 사이를 건너는 엄마의 발걸음이 멈추게 하지 않기 위해서……

　계절을 건넌다는 것은 생을 확인하는 일이며, 실로 기적을 경험하는 일이다. 그러니 계절이 변할 때, 우리와 맺은 인연들에 관심을 가지며 계절과 같은 보폭으로 잘 걸어가고 있는지 살펴보았으면 한다. 계절의 변화를 소중한 인연들과 함께 느끼는 것만으로도 우리의 삶은 한 계절을 사랑하는 것보다 훨씬 풍성해지고 애틋해지리라.

나의 모든 것이 꽃이 되어 닿기를

소중한 사람과의 다툼 뒤에는 전에는 몰랐던 인정과 이해의 시간이 주어진다. 사랑하는 사람과의 미움 뒤에는 그보다 더 진한 애정이 녹아 있다. 서로 끈끈하게 관계를 맺고 살아가는 가족, 친구, 연인은 티격태격하면서, 서로를 향한 마음을 더욱 견고하게 이어 나간다. 그래서 가까운 사람일수록 오히려 다툼의 빈도가 잦기도 하다. 이 세상 엄마와 딸의 관계처럼 말이다.

나와 엄마도 그동안 모든 것이 다 좋았다고 말할 수는 없다. 때때로 힘들기도 했고, 종종 눈물을 쏟아낼 때도 있었다. 여느 엄마와 딸처럼 투닥거렸고, 금방 화해했으며 또 속닥속닥 다투기도 했고, 금세 풀어지기를 반복했다. 엄마와 나의 실랑이는 늘 사소한 것들이었다. 가족을 위해 뭔가를 하려는 엄마와 그걸 말리는 나와의 실랑이는 항상 팽팽했다. 어떤 마음으로 하시는 일인지 이해하지만, 끙끙 앓는 엄마를 떠올리면 감사함보다는 애달픈 속상함에 마음속에서 불이 점화되는 듯했다. 가족을 챙기고 집을 돌보는 것이 어쩌면 엄마를 지탱하고 있는 힘이자 행복일 것 같아 말을 삼켰지만, 때로는 마음먹은 대로 하지 못하고 금세 후회로 얼룩질 날 선 말들을 내뱉기도 했다.

"엄마! 아프시면서 대체 왜 그러시는 거예요? 이러시는 거 하나도 안 고마워요."
"너도 힘들잖아⋯⋯."

나의 날카로움에 고개를 숙인 엄마의 목소리는 나를 더 속상하게 만들었다. 당신이 제일 힘들면서도 그저 딸 힘들까 봐, 혹시나 가족에게 짐이 될까 봐 배려하는 마음에서 나의 마음은 되레 화로 가득차기도 했다. 이런 시간이 쌓이면서 나는 엄마를, 엄마는 나를 더 이해하려고 노력했던 것 같다. 그 시간 동안 우리는 더욱 애틋해졌으리라.

언제부턴가는 뭐든지 엄마가 원하는 대로 해드리려고 노력한다. 사실 엄마가 원하는 것들 대부분은 당신 자신을 위한 일이기보다 가족을 위하는 일이 대부분이긴 하지만 말이다. 가끔씩 애교 섞인 말투로 내 어깨를 내밀며 얘기한다.

"엄마는 딸 뒀다가 뭐해요? 막 요구하기도 하고, 기대기도 하고 그래요. 엄마는 평생 남한테 주는 것만 익숙하고, 받는 건 너무 서툴러서 안 되겠어요. 내가 울 엄마 훈련을 시켜야겠어. 잘 받아주는 것도 상대를 얼마나 행복하게 하는데요? 엄마가 내 품에 기대어 쉬기도 했으면 좋겠어요."

그럴 때면 엄마는 딸에게 아프다는 얘기를 하는 것도 미안하고, 아픈 모습을 보이는 건 더 미안하다고 하셨다. 더 늙어가고 아프더라도 자식에게는 그저 힘들면 생각나고, 영원히 기댈 수 있는 울타리가 되어주고 싶은 마음이라고 하셨다.

"그냥 너희의 존재만으로도 엄마의 마음은 늘 사랑으로 가득 차. 내가 이 세상에 태어나서 제일 잘한 일은 너희를 낳은 거야."

아……. 늘 저만치 앞서가는 엄마의 마음을 영원히 따라잡을 수는 없을 것만 같다.

20대 어린 나이에 부모님과 동생을 연달아 여의고, 장녀로서 살아온 엄마의 삶 앞에 책임감과 배려심은 어쩌면 때가 되면 밥을 먹는 것처럼 당연하게 주어졌으리라. 그런 엄마에게 엄마 자신을 제일 먼저 생각하고, 위하라는 나의 주문은 너무나 어려운 일이었는지도 모른다. 그저 이제는 엄마 하고 싶은 거 다 해! 하면서 맞춰드리고 싶다. 평생 가족에게 맞춰 살아온 삶이 아니던가.

사랑은 불가능한 많은 일을 가능하게 만들지만, 그 사랑을 평온하게 이어가기 위해서는 각자의 자리에서 해야 할 몫이 있을 것이다. 엄마를 향한 사랑 앞에 종종 가까스로 하는 이해보다는 그대로의 인정이 더 필요한 듯했다. 엄마가 나에게 그랬던 것처럼 말이다. 그저 엄마의 혜아림에 감사하며, 내 마음 한 켠에 물이 좀 더 졸졸 흐를 수 있게 노력해야겠다. 어느 작가님이 남겨주신 말씀처럼, 나의 말과 몸짓이 엄마에게 꽃이 되기를 바란다.

제일 좋은 친구가 되어 줍시다

인연이란 무엇일까. 마음 나누며 살아가게 되는 사람들은 얼마나 깊은 연이기에 지금의 인생길에서 만날 수 있었을까. 나이가 들어가며 다양한 사람들을 많이 만나게 되지만, 나이가 들수록 진짜 마음을 나누는 친구를 사귀기 어려워진다는 말이 무슨 의미였는지도 알 것 같다. 각자 사회에서 맡은 업무가 쌓여가고, 살펴야 하는 가정의 역할도 늘어나기에, 밤새도록 술잔을 기울이며 일상을 공유하던 친구와는 자연스레 멀어지게 된다. 오히려 일적인 관계의 사람들이 주변에 늘어난다. 그래서 삶에 지긋한 어른이 되면 연락이 끊겼던 옛 친구를 그리워하면서, 인생을 함께 나누던 친구가 더 소중해지는지도 모르겠다.

엄마와 20대를 함께 한 친구분들은 오랜 시간 투병을 버텨온 엄마를 입을 모아 칭찬하셨다.

"너라서, 살아가고 있는 거야. 정말 대단하다."

"아프다고 하는데도 볼 때마다 여전히 옛날처럼 곱다."

"너는 배울 점이 많은 친구야."

"우리에게도 삶을 향한 용기를 줘서 고마워."

때때로 지치기도 했을 엄마는 친구들의 진심 어린 말 한마디, 한마디에 삶을 향한 용기를 다시 얻으셨으리라.

지난가을 수술은 꼭 해야 했지만, 수술을 버텨낼까 고심하는 병원의 걱정 앞에서 태연해 있기란 쉽지 않았다. 두려워지는 마음은 나와 엄마에게도 슬그머니 싹을 틔워냈다. 서로 표현은 안 했지만 불안감에 흔들리는 마음은 각자의 내면에서 눈물의 파도를 만들어내기도 했으리라. 엄마는 수술을 포기하면 어떨까에 대해서도 깊이 고민하셨다. 무엇이 맞는 건지 중심을 잡지 못하던 나는 그저 엄마의 마음을 열심히 들어주는 것밖엔

할 수가 없었다. 이 사실을 안 친구분들은 주변에서 경험했던 수술 성공 사례들을 얘기하며, 엄마의 마음에서 일렁이는 파도를 잠재워주셨다. 쉽게 꺼내지 못할, 본인들의 경험담도 나눠주시며 엄마에게 등대 역할을 해주시기도 했다. 참으로 감사했다. 엄마 곁에 좋은 친구분들이 계신 것에도, 가족들이 하지 못한 일을 친구분들이 해주신 것에도 모두 감사했다.

때론 우리는 가족보다 또래의 친구 얘기에 더 위로를 받기도 하고, 용기를 얻기도 한다. 같은 시간 안에서 비슷한 고민을 하며 겪어 온 삶의 흔적 때문이 아닐까 싶다. 젊은 시절부터 함께 해온 친구라면 그 감정의 공감대는 아마도 더 깊을 터이다. 물론 좋은 친구가 시간에 비례하는 것은 아니지만, 시간과 비례하여 좋은 관계를 차곡차곡 쌓아 온 친구가 있다면 우리의 삶은 한결 풍성해지리라. 겉핥기의 지인보다 자신의 속내를 편히 드러내고, 서로의 마음을 들여다봐 줄 수 있는 친구가 있다면 삶의 행복지수는 한층 높아지리라.

사소한 일로 토라져 친구와 등을 지는 어린 시절의 실수와 화해를 통해 우리는 관계를 배우기 시작한다. 친구를 통해 관계와 사람을 알아가며 더불어 자신에 대해서도 배우는 것이다. 그러니 친구란 얼마나 애틋한 관계인가. 서로가 평생 친구로 남으면 좋으련만, 세상의 모든 것에 영원한 것은 없듯 친구도 영원을 자랑하지 않는다. 어느새 먼저 떠나보낸 친구들이 꽤 계신 아버지는 종종 말씀하신다.

"좋은 친구? 별거 없어. 오래오래 서로 옆에 남아있는 친구가 제일 좋은 친구인 것 같아."

마음에 묻어두는 인연도 소중하지만, 아버지 말씀처럼 오래도록 곁에 있어 주는 친구가 흘러가는 세월 속에서 얼마나 귀하고 소중한 인연이 되어주는지 알 것 같다. 엄마도, 엄마 친구분들도 서로의 삶에 제일 좋은 친구가 되어 주셨으면 한다. 우리 모두가, 연을 맺고 살아가는 서로에게 제일 좋은 친구가 되어 주길 바란다.

반복되는 일상의 힘은 반복에서 출발한다

요즘 '미니멀리즘'이 트렌드가 되면서 청소하고, 비우고, 정리하는 팁을 모아 놓은 책들이 출간되고, 청소와 정리만으로 공간을 재탄생 시켜주는 TV프로그램도 제작되고 있다. 더불어 청소와 정리를 컨설팅해주는 업체들도 많은 이들의 관심을 받고 있다. 주변을 깨끗이 치우고, 정갈하게 비울 줄 알며, 깔끔히 정리할 줄 아는 사람이 자신의 삶도 잘 꾸려나갈 줄 안다는 인식이 지배적인 요즘이다. 그만큼 청소와 정리는 우리 삶을 관통하는 습관적인 일상이 아닐까 싶다.

쓸고, 닦고, 정리하다 보면, 나는 변함없이 엄마 생각이 난다. 내가 어릴 적부터 우리 집은 항상 모델하우스 같았다. 공간도 사람을 닮아가는 것인지, 엄마가 정성 들이는 우리 집은 늘 반짝반짝 광이 나면서 정갈하고 단정했다. 그런 엄마가 집을 비우는 날이 되면, 꾀죄죄해지는 나의 얼굴만큼 집도 금세 엄마 없는 티를 내곤 했다. 곳곳마다 엄마의 부지런한 손길이 안 닿는 곳이 없었던 것이다. 그것이 얼마나 어려운 일인지, 나이가 들어가며 깨닫는 농도가 짙어진다.

엄마의 청소는 삶과 죽음의 경계에서 흔들릴 때에도 거리를 둘 줄 몰랐다. 조금의 기력이 생기면 청소를 하셨고, 억지로 꾸역꾸역 힘을 만들어 정리를 하시기도 했다. 그것이 좀처럼 이해가 되지 않아 속상함으로 채우게 하는 날들도 많았지만, 평생 청소와 정리가 몸에 베인 엄마에게는 삶을 붙들게 하는 에너지였던 것 같기도 하다.

"엄마. 가만히 계셔도 힘든데, 다른 사람이 하게 그냥 두면 안 될까요? 엄마한테 청소는 뭘까요? 이젠 그만 내려놓으시면 좋을 거 같아요. 그래도 괜찮아요."

"살아 있잖니. 숨 쉬고 있으면 누구든 그만큼 해야 할 몫이 있어. 지금 나에게는 억지로라도 일상을 지키며 이어가는 게 삶을 이어가는 일이기도 해."

엄마는 청소를 하고, 주변을 정리하시면서 투병의지를 다지며 다시 살아갈 힘도 얻고, 삶을 지속할 에너지도 충전하셨던 것이다. 별일 아닌 것 같아도 생각해보면 청소와 같은 일상은 우리를 움직이게 만드는 힘이 쌓여 있다. 해야 할 일이 가득해 좀처럼 뭐부터 해야 할지 몰라 손에 잡히지 않을 때도, 혹은 아무것도 하고 싶지 않을 만큼 귀찮음이 온 마음을 짓누를 때도 청소를 하고 나면 뭐라도 시작하게 되니 말이다. 계절이 바뀔 때면, 묵은 옷을 빨고 갈면서 새로운 계절을 맞이할 준비를 하고, 아침에 일어나 이불을 정리하면서 하루의 출발에 활기를 넣기도 한다.

이렇듯 실로 청소와 정리는 일상의 곳곳에 자리 잡아 있는 작은 행동이자, 삶을 꿰뚫는 생의 원천이기도 하다. 모난 큰 바위도 매일매일 철썩대는 파도에 둥글둥글해지는 것처럼, 일상 속 청소가 반복되면서 쌓이는 에너지는 실로 거대하고 거

룩한 것이다. 그 지혜를 엄마는 본인의 투병생활에도 현명히 적용한 것이다.

사실 나는 청소나 정리를 잘 하는 사람은 아니다. 그래서 엄마는 청소를 게을리하지 않고, 정리정돈이 습관이 된 사람은 성공하는 삶을 이끌어 낼 거라고 어릴 때부터 강조하셨는데, 그 요점이 무엇이었는지 알 것 같다.

반복하는 일상은 종종 지루함과 따분함을 불러온다. 단조로운 일상의 변화를 꾀하며 매일이 새롭기를, 어제보단 오늘이 좋은 날이기를 바란다. 하지만 도돌이표처럼 돌아오는 하루는 어제와 같은 오늘을 보여준다. 이렇게 매일매일 반복되는 일상 속에서 우리를 움직이게 하는 일은 아이러니하게도 반복되는 청소와 정리가 아닐까. 매일하는 청소 뭘 이렇게 꾸준히 해야 하나 싶어도 반복하며 쌓아가는 소소한 일상은 어느 날 삶의 기적을 선물할 것이다. 일상을 지켜내는 힘은 바로, 일상이다.

이름으로 불린다는 것은

내가 그의 이름을 불러주었을 때,
그는 나에게로 와서
꽃이 되었다.

김춘수 시인의 시, 〈꽃〉에 나오는 구절이다. 시의 문장처럼 관계에서 이름으로 기억되고, 서로 이름으로 불린다는 것은 호칭의 의미를 넘어 서로의 존재를 확인하고 마음을 나눈다는 각별한 의미를 지닌다.

나이가 들어가며, 누구든 자신의 이름을 듣기란 쉽지 않다. 직책이나 외적인 모습으로 불리는 게 대부분이다.

'선생님, 실장님, 대표님, 아저씨, 아줌마, 할머니……'

특히 엄마가 되고 나면, 많은 여성들은 자신의 이름도 잃어버린 채 "ㅇㅇ엄마."로 불리곤 한다. 우리 엄마도 마찬가지였다. 잘 불려지지 않는 엄마의 이름이 잃어버린 엄마의 시간인 거 같아서 어느 날부터 같은 여자로서 안타까워졌다. 그래서 일부러라도 "손ㅇㅇ 여사님." 하면서 엄마 이름을 부르기도 했다. 이런 이유에서일까. 누군가가 다정하게 부르는 엄마의 이름을 들으면 괜히 설레기도 하고, 애틋해지기도 한다.

작년 봄, 오랜만에 엄마와 외식을 하러 길을 나섰다. 별로 가고 싶지 않아 하시는 엄마를 설득해서 모시고 온 자리였다. 자리를 잡고 앉는데 어디선가 엄마의 이름을 부르는 소리가 들렸다. 너무도 또박또박, 반갑게 들리는 엄마의 이름에 내 귀는 저절로 방향을 돌렸다. 내가 초등학생이던 시절, 엄마가 다니시던 수영클럽의 친한 아주머니들이셨다. 흘러온 세월의 계산도 쉽게 되지 않는 30여 년 만의 만남이었다. 식당에 오기 싫어하시던 엄마의 표정은 사라진 지 오래였다. 오랜 세월이 무색해

할 만큼 서로 얼싸안고 30년의 옛날로 돌아가 반가움과 그리움 그 사이의 감정을 나누고 계셨다. 아주머니들은 말씀 중간, 중간마다 "ㅇㅇ아."하며, 엄마의 이름을 다정히 부르셨고, 불리는 엄마의 이름에 왜인지 내 귀에는 울컥 눈물이 맺혔다. 그래, 엄마도 이름으로 불려야지.

좋아하는 작가님의 신간이 나왔을 때, 엄마의 이름으로 사인을 받아 엄마에게 드렸었다. 오래 아프시면서 눈도 병을 앓았던 터라, 그 이후론 좋아하시는 책도 신문도 잘 읽어내질 못하셨다. 엄마의 책상은 본연의 역할을 하지 못한 지 오래였다. 그런데 엄마의 이름 세 글자가 적혀진 책이 엄마에겐 큰 원동력이 되었나 보다. 방에 조용히 계셔서, 눈 좀 붙이시나 보다 하고 방문을 열어봤더니 책상에 스탠드를 켜고 꼿꼿이 허리를 추켜세우고 앉아 책을 읽고 계셨다.

"오랜만에 앉아본다. 힘들어서 두 페이지밖에 못 읽었지만……."

아주 오랜만에 책상에 앉아 계시던 엄마의 모습이, 스탠드 조명에 비춰 더 눈부시게 빛나던 엄마의 미소가, 아직도 눈앞에 선명하다. 너무도 아름다운 모습에 갑자기 시큰해지는 눈망울을 숨겨야 했지만, 그날의 말할 수 없는 감동은 여전히 내 마음 속 어딘가에서 춤추고 있다.

엄마의 옛 친구들이 불러주시던 엄마의 이름, 작가님의 필체로 써진 엄마의 이름. 이 모든 건 진짜로, 엄마에게 날아가 꽃이 되었다. 사람들이 가장 듣고 싶어 하는 말 1위가 자신의 이름이라는 기사를 본 적이 있다. 태어나서 죽을 때까지 자신을 나타내고 설명하는 이름이 불리고픈 마음은 누구나 같을 것이다. 이름을 기억한다는 것은, 이름으로 불린다는 것은 그냥 불리는 것이 아니라, 존재의 의미이자 생의 확인을 뜻하는 것이 아닐까.

내 입에 사랑을 가득 실어 엄마의 이름을 데려와 본다. 조용히 배시시 미소가 그려진다. 나의 입꼬리에서도 꽃이 피어나는 듯하다.

시간의 흐름이 보이시나요?

 눈에 보이지 않지만, 우리 삶에서 물질적인 것보다 더 귀한 것은 어쩌면 시간이 아닐까. 시간의 흐름 속에서 우리 삶도 자연스럽게 흘러감을 느낀다.

 시간은 누구에게나 일정하게 주어지는 것 같지만, 속도감은 늘 다르게 다가온다. 때로는 쏜살같기도 하고, 때로는 멈춰져 있는 것 같기도 하다. 안타깝게도, 행복하고 좋은 일 앞에서는 시간이 빨리 흐르는 것만 같고, 슬프고 두려운 일은 시간에 붙들려 느리게 지나가는 것만 같다. 그래서 상대적인 시간의 흐름에만 삶을 내맡기다 보면, 어느새 초조하고 불안해지는 자신을 발견하게 된다. 이러한 이유에서인지, 우리는 절대적인 시간의 흐름을 시각적으로 보여주는 자연에 기대게 되는지도 모른다. 초라했던 나뭇가지에 새잎이 돋아나고, 형형색색의 꽃들로 옷을 입고, 푸르름으로 뒤덮이며, 한바탕 가을색으로 치장을 하고, 또다시 소멸하는 자연의 변화 앞에서 우리는 자연스러운 시간의 흐름을 느낀다. 그 시간이 되면 늘 변함없이 묵묵히 알아서 모습을 달리하는 자연의 모습에서 말할 수 없는 위로를 받는 것이다.

병원생활은 이러한 절대적인 시간의 흐름을 느끼기 어려워서일까. 나의 모든 시간이 멈춰져 있는 것만 같았다. 실제로 블랙홀에서는 시간의 흐름이 멈춘다는 글을 본 적이 있다. 병원생활은 종종 블랙홀 같기도 했다. 당장 오늘도 확신할 수 없는 시간 속에서 지낸다는 것은 깜깜한 블랙홀을 헤매는 기분에 사로잡히게 만들었다. 병원에서는 상대적인 시간의 흐름에만 의존하다 보니, 병원에 있는 모두를 지치게 만드는 것 같았다. 그런데 어느 날 알 수 있었다. 척박한 일상에 짓눌려 느끼질 못했을 뿐, 병원에서의 모든 시간도 쉬지 않고 흐르고 있었다는 걸…….

15년 전, 처음 병원을 갔을 때는 환자의 차트나 수술동의서, 처방진 등을 쉽게 받을 수 있게 하기 위해, 병원 천장에는 곳곳마다 차트를 이동시키는 기찻길 같은 레일이 설치되어 있었다. 칙칙폭폭 지나가는 열차처럼, 천장을 따라 부지런히 움직이는 박스들을 보며 신기하다며 그들의 행진을 보기 위해 고개를 드는 일이 많았다. 하지만 언제부터인지 천장을 메우던 레일은 사라진 지 오래다. 선생님들 손에 들려 있는 태블릿 PC가 차트나 수술동의서의 역할을 대신하고 있다. 24시간 지낼 수 있는 중환자실 보호자실도 추억의 장소가 되었다. 환자들의 쾌적한 병원생활을 위해 이제 보호자실은 잠깐씩 대기하는 대기실로 탈바꿈했다. 체온계처럼 잔뇨를 용이하게 측정하는 기계도 생겨서 신장이 좋지 환자들이 한결 편해지기도 했다.

변화를 알고선 병원의 곳곳을 살펴보니 감사하고, 흥미로운 점들이 많았다. 너무도 놀라웠던 기술이 과거 속 추억이 되고, 어려웠던 수술이 지금은 그나마 수월하고 가벼운 수술로 발전되기도 했다. 지금까지도 시리즈가 계속 나오고 있는 영화 〈

미션 임파서블〉 1편을 보면, 이제는 피식 웃음이 나오는 것과 비슷한 느낌이었다. 긴박함이 느껴지는 시그니처 배경음악에 덩치가 엄청난 모니터 화면, 거추장스러운 이어폰 등은 전혀 긴박해 보이지 않으니 말이다. 시간의 흐름 속에서 병원은 끊임없이 진화하고 있었던 것이다. 병원의 시간은 자연의 변화처럼 자연스러운 것은 아니지만, 그 안에서 최선을 다하며 흐르고 있었다. 그 사실이 블랙홀에 갇힌 것 같았던 지난 시간들에게 종종 위로와 격려가 되기도 했다.

삶이 어려움을 자꾸 보여줄 때, 상대적인 시간의 흐름은 자신을 가두기도 하고, 불안함 속으로 내몰기도 한다. 나만이 시간 속에 정체되어 있는 것만 같아서……. 그럴 땐 잠시 주변을 둘러보는 여유를 억지로라도 불러오자. 시간은 어디서든 흐르고 또 변화하며, 항상 우리를 쓰다듬고 있을 테니…….

이제 제 차례입니다

누군가 삶은 여행이라고 했다. 삶 속에서 연속되는 크고 작은 여행은 때로는 삶을 송두리째 흔들기도 하고, 때로는 대단히 감동스럽지도 특별하지 않기도 하다. 하지만 그 여행들은 마음속 어딘가에 지문 하나를 깊숙이 남기고, 그 또렷한 잔상이 우리를 조금 더 성장하게 만들기도 한다.

퇴원 후, 엄마와 다녔던 여행을 떠올리면 나도 모르게 배시시 웃게 된다. 엄마의 컨디션에 따라 여행 내내 내 마음은 햇살과 먹구름 사이를 왔다 갔다 했지만, 그럼에도 지나고 보니 그저

다 좋기만 하다. 그동안 가까운 국외와 엄마가 원하시는 국내에 틈틈이 우리의 흔적을 남겼다. 규슈에서는 하루에 한 번씩은 꼭 따뜻한 물속에서 마주 보고, 엄마의 등을 밀어드리는 시간을 가졌다. 그마저도 지금은 허락되지 않기에 '따뜻한 온천물의 기억이 엄마의 따뜻함이었나…….' 하고 추억하게 된다.

가오슝에 갔을 때는 햇살의 기운이 좀 사그라질 때쯤, 노을을 보기 위해 치진섬에 들어가는 배를 탔다. 다인승 전동스쿠터를 빌려 찬찬히 섬을 둘러보다가 검은 모래 해변에서 노을을 보려는 완벽한 계획이었다. 5분 정도 전동스쿠터 작동법을 배운 후, 뒷좌석에 앉으신 엄마와 함께 출발했다. 출발하자마자 엄마는 내가 처음 롤러코스터를 탈 때보다도 더 큰 비명을 지르셨고, 계속 이거 너무 위험하다는 얘기만 반복하셨다. 그때부터 완벽하다고 생각했던 나의 계획은 털털거리는 스쿠터 소리와 함께 흩어져버렸다. 예상하지도 못했던 엄마의 요란한 반응에 나는 혼이 쏙 빠진 듯했고, 서로가 생각했던 그림이 아니었기에 우린 실망했다. 이미 옆으로 스쳐 지나가고 있는 시장 구경이며, 해안 드라이브는 의미가 없어졌다. 낯선 여행지에서의 새로운 교통수단과 우리 옆으로 내달리는 자동차들의 속도감은 엄마에겐 흥미로움이 아닌, 무서움이었나보다.

결국 다 둘러보진 못했지만, 검은 모래 해변에서 노을은 볼 수 있었다. 그때의 아름다운 노을 사진을 보면, 황홀해지기보다는 한 편의 시트콤을 본 것 마냥 큭큭 웃음이 난다. 그때의 추억들을 나누게 되면, 생각할수록 엄마가 너무 귀여워져 지금도 물어본다.

"엄마, 그때 왜 그렇게 소리 질렀어요?"
"이 세상 탈 것 중에 제일 무서웠어. 절대 낯선 곳에 가서는 처음 타는 건 하지 마라. 그러다 여행 가서 사고 나는 거야. 살면서 모험 너무 즐기지 마."

내가 기억하는 엄마는 액티브한 활동을 즐기시던 엄마였기에 그런 엄마가 낯설면서도 금세 서글퍼진다.
'엄마의 지칠 줄 모르던 액티브함도 세월 속에서 참 나이가 많이 들어버렸구나.'

자동차 속도의 절반도 되지 않던 전동스쿠터를 탄 엄마의 반응은 나에게 사랑스러운 어린아이 같기도 했고, 노파심 가득한 삶에 지긋한 어른 같기도 했다. 어느새 내가 기대어 쉬던 어른과 내가 살펴야 하는 아이가 공존해 있음을 느낀다. 이렇게 흘러가는 세월 속에서 부모와 자식의 역할은 자연스레 바뀌는 거겠지. 엄마를 향한 걱정에 나도 모르게 이런, 저런 얘기를 계속해서 할 때면, 엄마는 슬쩍 자리를 피하며 "내가 알아서 할게." 하고 귀찮아하신다. 그러면 내심 서운해지는 나의 마음을 마주할 때마다 갑자기 웃음이 나면서도 눈물이 핑 돈다. 어디서 많이 봤던 장면인 것 같아서 말이다. 걱정이 되어 나를 따라오던 엄마의 얘기마다 나도 어른이라고, 알아서 하겠다고 참 많이도 얘기했었는데, 그때마다 엄마는 얼마나 서운하셨을까. 그 서운함을 어떻게 그리 잘도 감추셨을까.

나는 여전히 철없는 딸이기만 한데, 시간은 속절없이 엄마의 보호자인 어른이 되어야만 한다고 나를 재촉한다. 종종 엄마를 태우고 가던 전동스쿠터에서 바라보던 노을빛이 아련히 마음속에서 번진다. 뜨거운 햇살을 감싸며 드넓은 하늘을 물들이고, 그 찬란한 빛이 바다까지 품던 노을……. 감사하면서도, 서글프게도 엄마는 지금 그 노을의 생까지 살아오신 게 아닐까.

아직 저녁이 있고, 밤도 남아있으니 엄마의 보호자는 처음이지
만 엄마가 그랬던 것처럼 든든하게 잘 해내고 싶다. 우린 여전
히, 지금도 같은 스쿠터를 타고 삶을 여행하고 있으니 말이다.

결국엔 사랑이었네

계절의 여왕이라 불리던 5월의 어느 날, 따사로운 햇살이 그저 기분 좋게 하던 날, 엄마와 병원을 다녀오던 길이었다. 모질게도 길어지는 코로나19로 인해, 날씨와 정반대로 병원에 계신 분들은 적잖이 지쳐가는 게 느껴질 때였다. 그럼에도 늘 환자들에게 살갑게 대해주시는 선생님들께 감사한 마음은 이루 말할 수 없었다.

병원 앞 약국은 언제나 주차전쟁이다. 약국보다 훨씬 큰 주차장이 있음에도 항상 빼곡하게 차고도 모자라는 주차 행렬들을 보면, 어쩜 이렇게 올 때마다 아픈 사람들로 북적이는지 아려오기도 한다. 사람들로 가득해도 약국 안의 공기는 늘 적막하고 무겁다. 그래서 약사선생님들은 더 높은 톤으로 환자분들에게 다정한 인사를 건네신다. 한 할아버지의 차례가 왔다.

"ㅇㅇㅇ아버님, 오랜만에 뵙네요. 잘 지내셨어요? 혈압이 안좋아지셨나 봐요?"

'솔'톤을 유지하며 인사를 건네는 약사선생님의 질문에, 할아버지는 의외의 대답을 하셨다.

"……내가, 내가……. 갑자기 눈물이 나려고 하네."

지팡이에 의지한 채 겨우 한 발, 한 발을 내딛으시며 발음도 정확하지 않으신 할아버지는 여든을 훌쩍 넘으신 듯 보였다. 눈물이 나려고 한다는 할아버지의 얘기에 나의 눈과 귀는 저절로 할아버지 쪽을 향했다.

"에고. 아버님. 왜 눈물이 나셔요?"

"할멈이 갔어. 2년 전에……. 시간이 갈수록 더 생각이 나네요. 내 몸이 아파도, 병원 오면 할멈이 더 보고 싶을 거 같아서 그동안 오질 못했어요. 엄두가 안 났지…….”

　말씀을 이어가시던 할아버지는 말끝을 흐리시며 무덤덤하게 눈물을 훔치셨다. 할아버지의 애틋한 고백에 약사선생님도, 곁에 있던 사람들도, 나도 모두 조용히 눈시울이 붉어졌다.

　“선생님이 할멈이 아플 때 할멈한테 너무 다정하게 잘 해줘서 가끔씩 생각이 났었어요. 고맙다는 얘길 꼭 하고 싶었는데 오늘에서야 전하게 되네요. 고마웠어요.”

　약사선생님은 할아버지의 손을 꼬옥 잡아드리며 할아버지의 마음을 어루만져 드렸다. 할아버지의 건강을 걱정하는 약사선생님께 할아버지는 “걱정 말아요. 선생님 만나서 반가운, 기쁨의 눈물이었어요.” 하시며 힘든 걸음을 떼며 약국을 나서셨다.

　꽤나 시간이 흘렀지만, 할아버지의 쓸쓸해 보이던 뒷모습과 짙은 눈물이 여전히 어른거린다. 할머니의 손, 발이 되어드리며 병간호를 하던 할아버지에게 할머니의 부재는 어떤 느낌일까. 60년가량 곁에 있던 사람이 어느 날 갑자기 사라졌을 때, 그 깜깜한 우물의 깊이는 과연 얼마나 될까. 그 우물에 홀로 쏟아부은 눈물은 어떻게 길어내서야 할까.

이별의 시간이 짙을수록 그리움의 깊이도 더 깊어질 텐데, 할아버지가 그 우물에 잠기는 시간이 너무 많지는 않으셨으면 바란다. 그리고 너무 외롭지 않으셨으면, 또 건강하셨으면……

삶이란 무엇일까. 잘 사는 건 무엇일까. 어쩌면 우리는 잘 죽기 위해서 하루하루 사는 것일지도 모르겠다. 아무리 기술이 발전해도 우리의 시간이 유한하다는 진실은 변하지 않으니까……. 죽음이라는 이별 앞에서 두려운 슬픔에 침잠하고 한정된 시간 앞에 한없이 작아지지만, 그 안에서 우리는 삶을 감싸 안는 시간을 마주한다. 삶을 살아가게 하는 것이 사랑이라는 논어의 '애지욕기생 (愛之欲其生)'처럼, 죽음의 순간도 결국은 사랑임을 사는 순간, 순간 잊지 말아야 할 것이다.

수련 물결

순간순간을 잘 감싸고 다듬는다면
청청하고 청정한 삶이 물결을 이루겠지요

흩어져 버린 꿈의 조각에서
또 다른 꿈을 만난다

우리는 어렸을 때부터 "꿈이 뭐니?"라는 질문을 많이 받는다. 당연하듯 받던 질문에 습관처럼 하던 대답들……. 그게 모두 나의 꿈이었을까. 잘 모르겠다.

꿈꾸던 인생으로 살아가는 사람은 얼마나 될까. 꿈꾸던 삶을 살아가는 사람들은 행복하기만 할까. 꿈이 아닌 삶을 살아가는 사람들은 그저 불행할까. 그 어떤 답도, 잘 모르겠다.

나도 학창시절 내내 따뜻하고 신뢰감 있는 방송인을 꿈꾸며 언론영상학 전공을 선택했다. 아나운싱 학회를 하고, 방송국 여기저기를 기웃대며 방송 관련 아르바이트로 경험을 쌓았다. 방송작가로 사회에 첫발을 내디뎠지만, 삶과 죽음의 경계에 위태롭게 놓여있는 엄마를 보면서 팀 업무로 밤샘의 연속이었던 방송작가를 계속해야 하는지 망설여졌다. 곁에 있는 소중한 사람도 보살피지 못하면서 어느 누구의 마음을 헤아리며 방송을 만들 수 있단 말인가. 허무함을 가득 담은 무거운 마음이 함께 밀려왔다. 그렇게 확고한 결단 반, 아쉬운 미련 반의 갈등을 조율할 시간의 틈도 주지 않고, 방송작가를 접게 되었다. 그 후 운명적이었는지, 우연한 계기였는지는 모르겠지만 주얼리 디자인 아카데미를 다니게 되었고, 그 기회로 생각지도 못한 디자이너의 삶을 살게 되었다. 지금은 어쩌다보니 그래픽 디자인과 전시, 행사 관련 업무까지 좀 더 다양한 분야의 일도 함께하고 있다.

그토록 젊은 나이에 엄마가 생사의 고비를 겪으실 줄 몰랐고, 한 번도 꿈꾸지 않았던 일들을 업으로 삼고 있으니, 삶은 얼마나 뜻밖의 연속인가. 예기치 못한 삶의 방향에 감사하다가도 가끔씩 '도대체 뭘 하고 있는 거지? 내가 원하던 건 이게 아니었는데…….' 라는 생각이 꾸역꾸역 고개를 내미는 날이 있다.

그러면 지금에라도 당장 모든 걸 그만 멈춰야 하나 싶은 생각이 철없이, 서슴없이 밀려오기도 한다.

헌재의 삶이 만족스러운지, 지금의 내가 행복한지 좀처럼 잘 모르겠는 순간이 찾아올 때에도 한 가지 확실한 것은 있다. 일하는 순간만큼은 감사하다는 것이다. 원하던, 꿈꾸던 일이 아니었어도 순간순간 뿌듯함과 성취감에 벅차오르기도 하고, 더 잘 해내고 싶다는 꿈을 꾸기도 한다. 흩어져버린 꿈의 조각에서 또 다른 꿈을 만날 수 있는 것이다. 그러고 보면, 꿈은 이루지 못하더라도 품는 것만으로도 그 의미를 다하는 것이 아닐까 싶다.

삶은 이렇듯 뜻하지 않게, 매 순간 불쑥 이벤트처럼 찾아온다. 그러니 그저 주어진 대로, 흘러가는 대로 묵묵히 최선을 다하고 음미하다 보면, 어느새 삶은 선물의 순간으로 다가온다. 그동안 그려보지 않았던 삶과 마주하더라도 그것이 그다지 나쁘지만도 않다는 것을, 그 여정 속에 행복과 만족이 자연스레 녹아 있다는 것을 알게 된다. 그래서 마음속에 크게 꿈을 그리지 않아도 하루하루 쌓아가는 일상 속에서 삶은 특별해지기 마련이다. 행복은 꿈꾸던 삶이 아닌 곳에서도 자연스레 곁을 내어주니까…….

붙들고 있는 게 최선은 아니다

상대에 대한 관심에서 시작되어 공감으로 마무리되는 것이 디자인이라고 생각한다. 그래서 맞춤 디자인을 할 때는 더 많이 고민을 하는 편이다. 수학 문제처럼 딱 떨어지는 정답이 없는 것이 디자인이기에 의뢰를 받고 나면 갈래갈래 피어나는 생각들로 갈피를 못 잡을 만큼, 디자인은 여전히 어렵고도 흥미롭다. 이런 이유로 생각의 가지치기를 위해 면밀히 살펴보는 촘촘한 시간을 가진다.

결국에는 디자인도 사람에서 출발하여 사람으로 매듭지어지는 것이 아닐까. 주얼리는 미적 표현의 수단이 되지만, 착용하는 사람의 마음과 시간이 담겨 있어야 더 애착이 가기 때문에 그 사람만의 이야기를 잘 담아내고 싶다. 그래서 시간이 좀 걸리더라도 디자인을 구상하는 데 할애를 많이 하는 편이다.

하지만 아무리 붙들고 있어도 좀처럼 답이 안 나올 때가 있다. 뭉게뭉게 머릿속을 떠다니는 생각들의 갈피를 잡아채지 못해 흐르는 시간만 애꿎게 쳐다보며 스트레스 속을 헤맬 때가 있다. 예쁘게 완성시키고픈 욕심이 많아질수록 결론의 시간은 한층 더 달아나는 것 같다. 붙들고 있으면 답이 나올 줄 알았건만, 흐르는 시간 속에 더 답답해질 뿐 결국엔 처음 생각했던 디자인으로 결론이 난다. 늘 아이러니한 것은 아무리 미리 구상을 하고, 정리를 하고, 생각을 나눠도 답이 안 나오는 디자인은 시간이 많이 주어져도 답이 안 나온다는 것이다. 처음의 디자인이 옳았다는 걸 알기 위한 과정이었던 걸까.

생각해보면 사람과 사람 사이도 그런 것 같다. 안 되는 인연은 붙들어 놓으려 애를 써도 곁을 내어주지 않는다. 켜켜이 쌓이는 시간 사이로 흘러나오는 자신의 한숨 소리와 함께 결국

저 멀리 도망가 버린다. 내 안에 움켜쥐려 할수록 그 사이사이로 빠져나가는 사람의 뒷모습을 바라보는 건 어떠한 고문보다 뜨겁게, 따갑게 다가온다. 차라리 처음 만날 때의 관계로 돌아갈 수만 있다면 좋을 텐데 생각하며 후회하기도 한다. 그런데 떠나고, 떠나보내야 할 때를 아는 사람이라고 해도 켜켜이 쌓이는 관계의 틈마다 한숨이 아닌 웃음만을 채울 수는 없을 것이다. 사람과 사람 사이는 일이 아니고 관계이기에, 일은 벼락치기로 어찌어찌 해결할 수 있어도 관계는 벼락치기로 만들 수 있는 것이 아니기에……

결국엔 사랑도, 이별도 희로애락이 뒤범벅되어야 제 모양새를 이뤄나갈 수 있을 것이다. 소란스러운 마음도, 번잡한 생각도, 붙들고 싶은 욕심도 자연스럽게 흘러가는 과정으로 받아들이는 용기가 필요하지 않을까 싶다. 그러니 우리 모두 잘 하려고, 완벽하려고 너무 애를 쓰지는 않았으면 한다. 애를 써도 안 되는 것이 수두룩하고, 늘 좋을 수만은 없는 게 삶이지 않겠는가……

더도 말고 덜도 말고,
똑같이 해주세요

주얼리 디자인을 하면서 흥미로운 시간 중 하나는 리세팅 디자인을 맡았을 때다. 의뢰한 사람의 시간과 추억이 담긴, 오래된 주얼리들을 그들만의 이야기를 담아 새롭게 탄생시킬 때 보람찬 희열을 느낀다.

몇 년 전, 평생 착용하시기도 하고 그저 보관만 하시기도 했던 주얼리들을 한 꾸러미 소중하게 챙겨 오신 할머니와의 만남이 있었다. 하이얀 머리카락에서 삶의 인자함이 잔뜩 묻어나는 할머니는 80세 정도 되어 보였다. 할머니의 꾸러미에는 이래

뵈도 예전에는 트렌디한 디자인이었다고 뽐내는 브로치도 있었고, 세월의 흔적을 말해주는 끊어진 목걸이도 있었고, 제 짝을 찾지 못해 한 짝만 덩그러니 남아있는 귀걸이도 있었으며, 할머니의 러브스토리가 담긴 반지도 있었다. 살뜰하게 모아 오신 주얼리에서 할머니의 삶이 고스란히 느껴졌다.

할머니는 얼마 전에 몹쓸 병을 진단받으셨다고 했다. 나이가 나이인지라, 삶을 정리 중이라고 무덤덤하게 말씀하시는 할머니 앞에서 나는 어떤 말씀도 드릴 수 없었다. 그저 나도 무덤덤한 척, 침묵의 시간을 잠시 나눌 뿐이었다. 할머니는 고민하다가 딸 둘, 며느리 둘 네 사람 모두에게 똑같이 나눠주려고 하는데, 이왕이면 예쁘게 착용할 수 있게 새 단장해서 나눠주고 싶다고 하셨다. 할머니는 딸들에게 더 많이 주고 싶지도 않고, 며느리들에게 더 예쁜 디자인을 주고 싶지도 않다고 여러 번 당부하셨다. 자신의 것을 나눠주고픈 할머니의 마음이 괜히 자식들에게 서운한 마음을 갖게 하지는 않을지 염려하는 모습에서, 할머니의 진한 배려를 느낄 수 있었다.

"각 분들마다 스타일이 다르시니, 아주 조금씩 차이를 두어 비슷한 듯 다르게 하겠습니다."

나의 제안을 수긍하신 할머니는 딸들과 며느리들에 대해 알고 계시는 만큼 이야기를 하셨다. 이 아이는 키가 몇이고, 이 아이는 어떤 스타일의 옷을 좋아하고 무슨 일을 하는지 얘기하시는 할머니의 눈빛은 설렘으로 반짝이고 있었다. 자식들을 생각하는 마음에 두근거리고 계신 듯했다. 내 손에 주어진 할머니의 주얼리보다 할머니의 마음이 더 반짝반짝 우아함에 빛나던 날이었다.

차분히 삶을 정리하시던 할머니는 이제 다른 세상에서 살고 계신다. 자식들 품에서 찬란하게 반짝이는 주얼리들을 볼 때면, 완성된 리세팅을 보고선 뿌듯해하시던 할머니의 모습도 함께 그려진다. 당신의 삶이 지더라도 자식들을 위해 영원히 눈부신 노래를 불러주고픈 노모의 깊은 마음이 여전히 내 마음속에서 반짝인다.

이렇게 각자의 삶이 녹아든 주얼리들을 마주하며, 리세팅 디자인을 할 때면 생각한다. 삶에도 종종 리세팅이 필요하겠다고……. 주얼리처럼 전혀 다른 새로운 것으로 탄생할 순 없지만, 삶을 향한 마음가짐도, 건강도, 생활패턴도 찬찬히 살펴보면서 다시 세팅할 시간을 가져야겠다는 생각이 든다. 그러면 어느 순간 사신도 모르게, 보석 같은 사람으로 반짝이고 있지 않을까.

당신은 지금 어디쯤을 여행 중이신가요?

 나이가 들어가며 삶과 죽음에 대해 생각하는 시간이 잦아진다. 웰다잉을 생각하기에는 아직 젊지만, 웰다잉은 곧 웰빙과 연결되는 것 같다. 결국 삶의 여정은 평온한 삶의 끝을 향한 여정일지도 모르겠다.

 삶을 향한 엄마의 여행이 일찍 막을 내릴 것 같아 두려웠고, 지금도 여전히 엄마의 삶 앞에 내 마음은 어린아이처럼 겁이 날 때가 있다. 그 여정 속에서 엄마도, 나도 조금 더 단단해진 것을 느낀다.

엄마가 오랜 시간 아프시면서 자연스럽게 깨달은 것은 즐거움과 괴로움, 행복과 불행, 희망과 고통, 삶과 죽음까지 이 모든 건 반대가 아니라 서로 연결되어 있는, 같은 맥락 안에 있는 협주곡이라는 생각이다. 행복과 불행도, 희망과 고통도 서로 지겹도록 부딪히며 어우러져야 죽음에 연결되어 있는 우리 삶의 협주곡이 온화하게 완성될 수 있을 것이다.

초년, 중년, 노년으로 주어지는 삶의 여정이 누구에게나 부여되는 것이라 생각하던 시절이 있었다. 당연히 주어지는 것 같지만, 그 여정을 다 채우지 못하고 지는 삶은 셀 수 없이 많았다. 병원에 있으면 그 체감은 더 짙게 다가온다. 우리에게 주어지는 삶의 여정을 오롯이 채우며 느낄 수 있는 삶은 평범한 것 같지만, 결국 기적인 것이다. 스티브 잡스가 한 말 중에 '그 여정이 바로 보상이다. (The journey is the reward.)'라는 말도 있지 않은가. 삶이라는 여행에서 여정 그 자체가 누구에게나 선물인 것이다.

그렇다면 지금 우리는 삶의 여정 어디쯤 와 있을까. 우리네 삶을 책 한 권으로 다 설명할 순 없지만 삶의 여정을 책 한 권으로 응축시킬 수는 있을 것 같다. 그만큼 삶의 여정은 길고도 짧은 여행이며, 복잡한 것 같으면서도 참 단순한 패턴이다. 책과 다른 점이 있다면 삶은 책 한 페이지를 넘기듯 매끄럽게 넘어가지 못하는 날들도 있고, 문장에 마침표를 찍듯 깔끔하게 다음 문장으로 넘어가지 못하는 일들도 넘쳐난다는 것이다. 그럼에도 실망할 필요가 없다는 걸 이제는 조금 안다. 수천 번, 수만 번의 퇴고를 반복하면서 자신만의 빈 페이지를 채워가며, 단 하나뿐인 스스로의 책을 만들어 나가는 것이 삶이니 말이다.

여행을 다녀온 뒤, 추억 속을 거닐며 뒤늦게 깨닫는다. 목적지를 찾지 못해 이리저리 헤매고 다녔던 시간마저도 소중했다는 것을, 모든 여정이 생생히 그립다는 것을……. 삶의 여정이 끝날 때도 이렇게 추억할 수만 있으면 좋겠다. 밟아온 길이 구불구불하고, 에둘러 찾은 길이라고 하여도 훨쩍 아름다웠다고…….

여전하다는 것의 의미

　살면서 문득 생각나는 사람이 있을 때, 그 순간 자연스럽게 핸드폰을 열어 잘 지내냐는 안부를 편하게 물을 수 있는 것이 얼마나 기적 같은 일인지 우리는 미처 알지 못한다. 안부를 물을 수 없게 되었을 때, 그때가 되어서야 서로 안부를 주고받는 것이 당연히 주어지는 것이 아님을 알게 된다.

　30대 초반의 모습으로 영영 기억에 남는 친구가 있다. 꽃봉오리들이 앞다투어 화사한 얼굴을 드러내는 계절보다 더 상큼한 스물두 해를 맞이하며 우린 벗이 되었다. 서로 전공은 달랐지만 특별 영어 수업에서 만난 우리는 친구의 붙임성 있는 성격 덕분에 금세 친해질 수 있었다. 뭐가 그리 신나는지 늘 싱글 벙글 웃는 얼굴로 곁에 있는 사람의 마음마저 환하게 비춰주던 아이였다. 자신의 친오빠를 소개해서 나를 진짜 가족으로 만들어야겠다며 귀여운 으름장을 놓던 친구였다. 비 냄새를 좋아하고, 길가에 작은 들꽃에게조차 시선을 줄 줄 아는 따스한 사람이었으며, 영화 한 편을 놓고도 하루 종일 대화가 가능한 달변가이기도 했다.

친구의 햇살 같은 미소를 그대로 닮은 아들을 낳고 단란한 가정을 꾸린 지 2년이 되어갈 무렵, 친구는 갑작스레 젖병을 들 힘도 없어졌다고 했다. 육아휴직을 끝내고 복직한 지 한 달도 채 되지 않을 때였다. 열심히 치료를 받겠노라 다짐 받은 지 고작 두어 달 만에, 뭐가 그리 급했는지 이별의 순간을 준비할 새도 없이, 우린 다른 세상 벗이 되었다.

친구가 떠나던 날, 그 친구가 좋아하던 눈이 유독 많이도 내렸다. 그날 처음으로 알았다. 비처럼, 눈에도 소리가 있다는 걸……. 눈끼리 부딪치며 내는 소리에는 세상을 감싸는 고요한 흐느낌이 숨어 있었다. 발목까지 쌓인 눈을 다 녹이기라도 하겠다는 듯, 눈물을 떨구던 내 모습이 아직도 생생하다. 그보다 더 선명한 건, 친구의 화사한 미소를 닮은 아들, 넋이 나가버린 금세 쓰러질 것만 같던 친구의 남편, 그리고 당신 딸을 지켜내지 못해서 되레 미안하다고 연신 사과하시던 친구의 어머님……. 그 모습에서 내 눈물은 더 이상 중력의 힘을 받을 수 없었다. 가족들에게 갑작스럽게 던져진 슬픔의 깊이를 내 눈물로는 감히 헤아릴 수 없을 것만 같았다.

잃어버린 친구를 다시 만날 길이 없어, 함께 했던 공간과 시간을 더듬는 데 매달리고, 매달렸다. 여전한 것이 어느 날 여전하지 않을 수 있다는 생각에, 삶의 덧없음을 온몸으로 아로새겼다. '잘 지내지?'라는 톡 하나, 툭 하나 보내고 싶지만 텅 빈 그리움만 핸드폰 번호 앞에서 서성일 뿐이었다. 수차례 계절이 바뀐 지금이 되어서야, 그녀를 만개한 꽃으로 떠올린다. 그래서 흘러가는 시간 속에서 그리움의 빈틈마다 그녀를 향한 미소를 채울 수 있다. 예전보다는 친구를 떠올리는 순간은 줄어들었지만 그 순간의 깊이는 더 묵직해지는 듯하다.

우린 갑작스레 다른 세상의 벗이 되었고, 이제 그녀 없이 마흔 몇 해를 맞이하고, 쉰 몇 해, 예순 몇 해를 계속 맞이하겠지. 우리는 여전한데 나이만 먹는다며 서로 붙들고 얘기 나눌 순 없지만, 그 순간순간 고스란히 담아 나중에 친구를 만나면 친구가 나에게 했듯이 열심히 재잘거리리라. 부디 있는 곳에선 아프지만 말고 지내길……

　여전한 것도 살아있을 때 희망이고, 기쁨인 것……. 사라지고 나서 여전함은 그저 그리움과 애석함일 뿐이다. 그러니 여전히 기억나는, 보고 싶은 사람들이 있다면 '잘 지내?'라는 안부를 놓치지 말고 전했으면 한다. 여전함이 여전할 때 말이다.

찬찬히 시간의 뜰을 잘 가꾸어주세요

마음에 봄이 올 때 벚꽃을 맞이하면 그보다 더 좋을 순 없겠지만, 우리에겐 그렇지 않은 날들이 더 많다. 마음의 풍경과 현실의 풍경 간극이 클 때, 우리 마음은 한겨울 찬바람에 에워싸인다. 모두가 제각각 다른 삶을 열심히 살아냄에도 불구하고 적절한 때라는 기준 때문에 마음의 짐을 짊어지고 살아가기도 한다.

나도 싱글로 나이 들어가는 내 모습이 아무렇지 않다가도 가끔씩 규정짓는 사람들의 시선 때문에 주눅 드는 때가 있다. 20

대에 꿈꾸던 모습이 지금의 모습과는 차이가 있어서 때론 스스로도 조금은 당혹스럽기도 하다. 그렇다고 오늘의 내가 싫지도 않으니 규격화된 시선에서 조금씩 무던해지는 연습을 하는 중이다.

누구에게나 오르락내리락하는 삶은 주어진다. 이왕이면 그 삶 속에서 급하게 지나가는 롤러코스터보다는 관람차를 타듯이 삶을 지긋이 느끼며, 찬찬히 흘러가고 싶다. 지나간 시간에 연연하지 않고, 다가올 시간에 매달리지 않고, 그저 지금에 집중하면서 말이다.

어쩌면 오늘은 어느 미래에 되돌아가고 싶은 하루가 될 수도 있으니 오늘을, 지금을 그저 묵묵히 살아내면 그것만으로도 충분하다. 그것이 느린 삶이라 하여도 지치지 않고 걸어갈 수만 있다면, 더없이 잘 가꿔나가는 삶이 아니겠는가. 걷는 속도로 바라보는 풍경처럼 말이다. 차를 타고 내달리며 보는 풍경보다 걸으며 바라보는 풍경을 좋아한다. 느긋하게 구름이 흘러가고, 온화하게 주변을 물들이며 마감하는 하루를 지켜보는 것이 좋다. 그건 흡사 한 사람의 인생을 관람하는 영광을 누리게 되는 기분마저 들게 한다. 풍경을 바라보며 걷는다는 건 도무지 일어날 힘이 없을 때에도 한 발, 한 발 자신의 모든 걸 내 맡기고 걸어 나가는 삶의 속도와 닮아 있다. 그래서 걷는 속도로 내딛는 삶에는 단단한 깊이와 삶의 여유가 동시에 느껴지는 게 아닐까.

모두에게 분주히 지나가는 일상이지만 삶은 천천히 성장했으면 하고, 정신없이 흘러가는 시간이지만 삶은 찬찬히 쌓여갔으면 한다. 나를 비롯해 모두가 각자 품고 있는 마음속 시간의 뜰을, 흔들리는 삶 속에서도 묵묵히 잘 가꾸어 나가길 바란다.

행복의 열쇠는 지금, 우리 안에 있다

행복은 무얼까. 어릴 때는 심오하게 다가오지 않았던 단어다. 선생님께 받은 '참 잘했어요.' 칭찬스티커 하나, 심부름하고 나면 상처럼 받았던 사탕 한 알, 좋아하는 친구의 생일파티 초대장, 엄마 손잡고 가던 목욕탕…… 생각해보면, 어린 시절에는 그저 단순하게 순간순간의 시간에서 그게 행복의 감정인지도 모르고 행복을 느꼈던 것 같다.

나이가 들어가면서 행복도 나이를 먹는 건지, 거창하게 그럴듯한 행복을 꿈꾼다. 행복은 자연스럽게 음미해야 하는 것이거

늘 자꾸 쫓아가며 더 크게 부풀리기도 한다. 움켜쥐다 손에 쥐어지는 것이 별로 없으면 좌절하기도 하는 반복을 되풀이한다.

우리가 행복을 떠올릴 때, 흔히 잘못 생각하는 것 중 하나는 아픈 사람들은 불행할 것이라는 생각이다. 병원에 가면 아프면서도 행복한 얼굴을 띠고 있는 사람들을 꽤 만나볼 수 있다. 몇 달 동안 병명을 찾지 못해 불안한 통증에 두려워했는데 이제 병명을 알게 되어 차근히 치료를 받으면 되니 얼마나 감사하고 행복한 일이냐고 말씀하시던 할머니. 수술받기 어려운 부위인데 그나마 본인은 가능하다고 하니 얼마나 다행인지 행복하다고 얘기하시던 아주머니. 그들의 이야기를 듣다 보면 슬쩍 뒤를 돌아 내 가슴을 무심하게 툭툭 쓸어내리고 싶어진다. 세상살이에 묻은 먼지로 탁해진 마음인 채 마주하기가 문득 부끄러워져서 말이다.

병원의 신관과 구관을 잇는 복도를 지나면 행복에 대한 문장들이 창문에 인쇄되어 있는데, 그중 늘 내 마음을 붙드는 문장이 있다. '알베르 카뮈'의 〈행복이란 우리가 시간을 들여 열중하는 모든 것이다.〉라는 문장이다. 그래, 그렇다. 행복은 집착하는 게 아니고, 가져지는 게 아니다. 그저 주어진 시간 안에서 천연하게 느끼며 스며드는 모든 순간인 것이다. 그래서 기본적인 숨쉬기부터 다시 시작하셔야 했던 엄마도 고통스러움에도 꾸준히 치료에 집중하실 수 있었을 게다. 보행기에 의지해야 겨우 한 발, 한 발 내딛을 수 있는 걸음에도 엄마는 행복해하셨다.

그러고 보면 애절한 신음소리 가득 메우는 병원에서도 엄마의 미소는 언제나 순백하고 투명했다. 아픈 몸을 비켜설 순 없지만 아픈 마음은 멀리하려 노력하셨다. 당장 내일의 삶도 장담할 수 없던 때에도 엄마는 숨 가쁜 내일에 투명한 미소를 보내셨다. 그 모습에 내 마음은 더 불투명하게 아릿해졌지만 "살아있는 건, 살아있는 일은 다 집어치우고 우선, 그냥 웃고 볼 일이란다."라는 엄마의 말씀에 엄마를 향한 아린 마음을 거둬들였다. 투명한 엄마의 미소엔 삶의 행복이, 행복의 열쇠가 담겨 있었던 것이다.

누군가 행복이 무어라 묻는다면 이제는 조심스레 말할 수 있을 것 같다. 우리가 살아있다면, 살아가고 있다면 그저 그 순간

순간이 모두, 행복이다.

무의미한 시간은 없다

"헛되게 보낸 시간이 있으신가요?"

이 질문에 곰곰이 생각해보기도 전에 무수히 지나간 과거들에게 미안해질 만큼 "있다."라고 순식간에 대답할 것이다. 그런데 흘러온 시간을 한참 매만져 보니, 삶에서 무의미한 시간은 없는 듯하다. 어떻게든 모든 시간은 성공의 결실이 아니더라도 유의미한 열매를 맺게 한다.

아무것도 하지 않고 흘려보냈던 시간들도, 방송인이 되기 위해 매달렸던 순간들도, 수많은 새벽을 맞이하던 방송작가의 생활도, 이별한 나의 사랑도, 엄마를 살리기 위해 애쓴 병원생활도 모두 삶의 토양을 다지는 데 이바지했다.

고된 방송작가의 생활이 없었다면, 뒤늦게 뛰어든 주얼리 디자인이 어렵게만 다가와서 지금까지 이어올 수 없었을 것이다. 현재 병행하고 있는 전시 진행 및 홍보 기획은 오래전 배웠던 전공공부가 도움을 주고 있기도 하다. 엄마가 아프신 시간이 없었다면, 지금의 일과 사람들은 연을 맺지 못했을지도 모른다. 각자의 갈 길을 떠나기로 한 사랑 앞에 가슴 저미는 날들도 있었지만, 그 시간 속에서 삶을 배우며 나를 한 뼘 더 키워냈다.

종종 아무것도 하지 않는 시간도 삶에서 꼭 필요하다. 애쓰지 않고 아무것도 하지 않으며 시간이 흐르게 그냥 내버려두는 것은 삶의 숨통을 트여주는 일이니까. 그 시간은 다시 삶 속으로 들어가게 하는 힘이 있다. 결국 우리의 삶을 이루는 것은 무언가를 이뤄낸 결과물이 아니라, 그저 주어진 모든 시간의 총집합인 것이다.

때때로 세상은 부지런히 움직여서 만들어내는 성과에 집중하며, 박수를 보내준다. 그 박수에 익숙해져 아무것도 하지 않거나, 실패한 시간들에 등을 지는지도 모르겠다. 하지만 무의미하다고 여기는 시간은 의미가 없는 시간이 아니라, 오히려 삶의 의미를 견고하게 만드는 이면이라 생각한다. 이런 시간은 언젠가 자신의 삶을 끌고 가는 원동력이 될 것이다. 그리고 설사 삶에서 의미 있는 모습을 드러내지 못한다고 해도 또 어떠한가. 그저 그 시간들도 자신의 일부라 생각하고 토닥이면 그것만으로도 충분하지 않겠는가. 그러니 당장 제 모습을 갖추지 못하고 있는 지나온 시간들에게 낭비라는 단어는 데려오지 않았으면 좋겠다. 스스로가 자신의 삶 일부를 내버리는 일은 하지 않았으면 하고 바란다.

걷기가 모여 이루는 삶은 어떻게든 지속된다

시간이 날 때마다 걷는 걸 좋아한다. 걷는다는 건 오롯이 나의 삶과 만나는 의식 같아서 좋다. 걸으면 육체적인 건강 외에도 정신적으로도 단단해지는 시간과 만날 수 있다. 다리만 걷는 것이 아니고, 온 몸과 마음이 함께 걸어 나가면서 그동안 만나지 못했던 마음의 풍경에도 다다르게 된다.

엄마의 걷기를 보면서 걷는 삶이 얼마나 충만한 힘을 데려오는지 새삼 알 수 있었다. 의식 회복 후, 엄마는 걸음걸이부터 다시 배우셔야 했는데 처음에는 오랜 혼수상태로 근육에 힘이 빠져 걷기 힘든 걸로만 생각했다. 그 이유도 있었지만 병으로 인해 엄마의 발목과 발가락 신경들은 꽤나 손상되어 있었다. 꾸준한 재활 치료를 한다고 해도 예전처럼 걷기란 쉽지 않겠다는 진단을 받았다. 엄마의 발은 머리가 무거워 축 처진 해바라기처럼 힘이 들어가지 않았고, 더불어 다리 통증은 촘촘하게 엄마의 곁을 맴돌았다. 그럼에도 엄마는 병원의 진단이 무색하리만큼, 선생님이 요구하시는 것보다도 더 열심히, 성실히 걸으셨다. 너무 무리하시는 건 아닌지 걱정을 하던 나에게 엄마는 이런 말씀을 하셨다.

"사람에게 걷는다는 건 살아있다는 의미야. 한 발, 한 발 나아가는 내 걸음을 보며 삶의 의지를 다지기도 하고, 내 마음을 다스리기도 해. 그리고 내 발로 화장실이라도 편히 다닐 수 있어야 너희들 맘도 그나마 편해지지."

엄마의 걸음에는 삶을 향한 의지와 가족들을 향한 사랑이 모두 옹골차게 담겨 있었다. 지금도 여전히 아무리 힘들고 아파도 엄마는 매일 30분씩은 빠지지 않고 걸으신다. 엄마에게 걷는다는 건 삶을 다시 마주할 수 있게 해준 유일한 시간이었을

지도 모른다. 엄마는 매일 땅 위에 발이 닿는 느낌을 느끼며 생이 주는 안도감에 휩싸였으리라.

　세계의 수많은 사람들이 산티아고 순례길을 걷기 위해 모이는 것만 보아도 걷기가 우리들 삶에 큰 힘이 되는 것은 분명하다. 걷는다는 건 우리 삶의 시작이자, 삶의 지속적인 진행형을 뜻하기에 우린 틈틈이 몸과 마음을 일부러라도 걸어주어야 한다. 걷는 길 위에서 만난 수많은 풍경들이 전하는 침묵의 인사가 모이면, 마음에는 찬란한 봄의 인사가 만발할 테니 말이다. 걷는다는 건, 마음의 봄을 당겨오는 일이다.

나이듦에 대하여

쏜살같이 흐르는 세월 속에서 시간에 등 떠밀려 우리는 원하지도 않는 나이를 먹는다. 앞자리가 바뀌어 가는 나이를 마주할 때, 때때로 슬픈 마음이 드는 건 늙다 못해 낡아가는 삶의 어쩔 수 없음에 대한 안타까움 때문일지도 모르겠다. 한걸음 내딛기도 힘들어하시는 할아버지들을 거리에서 마주하거나, 외로움과 함께 식사하시는 할머니들을 뵈면 '진정 아름다운 노년은 없는 것일까?' 싶은 안쓰러움에 늘어가는 나이를 거부하고 싶은 건지도 모르겠다.

이제 가족들이 모이면, 자식들은 늘어가는 하이얀 머리카락마저도 사라져가는 어른들에 애잔해하고, 어른들은 당신들의 나이를 너무 빨리 쫓아오는 자식들을 안타까워하신다. 마주하면, 서로가 서로의 시간을 되돌려 멈추게 하고픈 마음이 커지는 것이다. 야속한 시간의 흐름에 대해 이야기를 나누던 어느 날, 동생이 이런 이야기를 했다.

"우리집 가족은 정말 이상해요. 얼마나 미래를 빨리 살려고 하는지 제가 힘들다니까요."

동생의 볼멘소리에 무슨 일인가 싶어, 모두 동생의 이야기에 집중했다.

"아빠는 70대 중반이시면서 맨날 내 나이가 80인데……. 이러시고, 언니는 이제 40대에 들어섰으면서 50도 금방이라고 하고……."

그때 듣고 있던 엄마가 "나는 안 그러잖아." 하면서 당당하게 동생의 말을 낚아채셨다.

"에이. 뭘 안 그래요? 엄마는 맨날 여름 끝이면 올해 다 갔다고 하시잖아요."

이 말에 그 자리에 있던 모두가 멋쩍은 공감의 웃음을 터뜨리고 말았다.

나이가 들어간다고 느끼는 건 늘어나는 숫자보다 앞선 걱정이 많아질 때다. 그래서 나이가 들수록 막연한 미래를 위해 현재를 즐기지 못하는 거 아닐까……. 미리 당겨 살지 않아도 미래는 자연스레 찾아오니 그저 오늘을, 하루하루를 아름답게 보듬을 일이다. 그걸 알기에, 빨리 나이 먹는 것이 안타깝긴 하지만 누군가 시간을 되돌리겠냐고 묻는다면 거꾸로 거슬러 올라가고 싶진 않다. 나이를 먹는 건 삶의 희로애락이 담긴 시간도 함께 먹는 일……. 그 시간 속에서 오랫동안 쌓여지는 삶의 지혜를 이제야 조금 알게 되었는데 굳이 돌아가고 싶진 않은 마음이다.

노사연의 노래, 〈바램〉에는 나이가 드는 건 늙는 게 아니고, 삶이 익어가는 것이라는 가사가 나온다. 벼가 한껏 익어 고개를 숙이면 수확을 해서 비워줘야 하는데, 어쩌면 나이듦은 채워가는 게 아니고 점점 비워가는 연습의 시간을 차곡차곡 쌓아가는 일인지도 모르겠다. 나이가 들수록 소소한 일에도 눈물이 먼저 밀고 올라오는 걸 보면, 스스로를 씻어내며 비워야 할 일이 많아지는 건 아닐까. 이왕이면 비워낸, 나이 든 나의 삶이 맑고 정갈하기를 바란다.

때론 바라보는 것만으로도 상처가 된다

관계에서 생기는 상처는 상대가 악한 마음을 먹고 다가왔을 때만 생기는 건 아닌 것 같다. 때론 호의가 더 깊은 생채기를 남기기도 하고, 관심이 오히려 아픔으로 다가오기도 한다. 우리가 별 의미 없이 하는 행동이나 좋은 의미로 하는 말이 타인에게는 상처가 되기도 하는 것이다. 그 상처는 두들겨 맞은 아픔보다 종이에 벤 것처럼 더 쓰라리게 길게 간다.

원래도 호리호리하셨던 엄마였는데 죽음의 터널을 통과하시고 난 후, 그간 삶의 무게가 너무도 버거우셨던 건지 엄마의 무게는 터널 속에서 흩어져버렸다. 엄마는 초등학교 입학생 정도의 몸무게밖에 되지 않았다. 그냥 서 계시는 것도 힘겨워 보이는 엄마를 바라보는 것은 내 눈동자를 저미는 듯했다. 그래서 내가 가장 먼저 해야 했던 일은 엄마를 아픈 눈으로 바라보지 않는 거였다. 그래야 엄마의 무게만으로도 엄마가 오롯이 서실 수 있을 것 같은 생각에서였다.

엄마가 어렵사리 걸음걸이를 다시 시작하시게 되면서 조금씩 밖에서 산책을 하기도 하고, 마트를 가기도 했다. 그 사이, 엄마를 바라보는 바깥의 시선은 많이도 달라져 있었다. 엘리베이터에서 만나는 주민분들은 엄마를 만날 때면 인사를 지나치지 않았다.

"왜 이렇게 말랐어요? 어디가 이렇게 아팠어요?"

"뭘 못 먹어요? 살 좀 찌면 좋을 텐데……."

"아이고. 이래서 어떻게 살아요?"

모두 엄마를 안타까워하며 걱정하는 마음에 전하는 안부 인사인 건 알았지만, 그 안부가 엄마에게는 아픔으로 다가왔다. 그냥 모른 척 지나가 주는 무관심이 우리에겐 필요했다.

여행지에서 만난 관심은 더 진했다. 지나가던 발길을 멈추고, 고개를 돌리고 또 돌려가며 엄마에게 보내는 시선을 거두지 않았다. 옆 사람을 찔러가며 엄마를 보라고 손가락으로 가리키기는 사람들도 있었다. 어떤 사람은 궁금함을 참지 못하고 다가와 몸무게가 어떻게 되냐며, 무슨 병이 있는 거냐며 물으며 우리의 발걸음을 붙들기도 했다. 호기심으로 바라보는 시선과 관심은 고스란히 상처가 되어 돌아왔다. 그때, 알았다. 우린 알게, 모르게 타인에게 상처를 주고 있을 수 있다는 것을…….

타인을 있는 그대로 바라보는 시선은 그 자체로 다정한 의미를 지닌다. 때때로는 타인에 대한 무관심이 근사한 배려가 될 수 있다. 우리와는 다른 타인을 바라보면서, 그 다름으로 자신을 위로하는 것이 상대에게는 상처가 될 수 있음도 기억해야 한다.

우리는 장미의 자태에 열광하면서도 가시가 있는 것에는 불편해한다. 언제부턴가 그 가시를 보면, 아름다움을 유지하기 위해 얼마나 고되고 힘들었으면 몸에서 가시를 만들어냈을까 싶다. 장미의 가시는 자신의 아름다움만 보지 말고, 아픔도 함께 바라봐달라는 장미의 호소 같다.

병원을 갈 때마다 생각한다. 불편한 사람을 보며 안쓰러운 눈빛을 보내지 말자고. 아픈 사람을 보며 나의 건강을 감사하지 말자고. 더 심한 통증에 고통받는 사람을 보며, 엄마의 아픔이 그나마 다행이라고 위로받지 말자고. 상대의 다름을 그대로 받아들이고, 그 속에 숨겨진 아픔이나 기쁨까지 조용히 나눌 수 있는 사람이 되었으면 좋겠다. 그런 사람이, 되고 싶다.

삶의 그림자에도 꽃은 피어난다

힘들고 어려운 일도 반복되면 일상이 된다. 일상이 되면 힘듦도 좀 무뎌진다. 그래야 살아지기에……. 그럼에도 엄마의 오랜 아픔 앞에서 무뎌지기란 좀처럼 쉬운 일이 아니었다. 엄마가 인공호흡기에 의지한 채 중환자실로 들어가시던 날, 무뚝뚝하고 불같으시던 아버지도 옆 빈 병실에서 손수건이 다 젖도록 혼자 울고 계셨다. 한 사람의 생사 앞에선 어떤 강철 같은 사람도 둔해지기란 불가능한 일이었다.

행복을 바라며, 고통을 바라보는 사람이 누가 있겠는가. 삶을 흥얼거리며, 죽음을 찬양하는 사람은 또 어디 있겠는가. 그럼에도 불구하고 삶의 그림자 속에 다다러서야 마주할 수 있는 아름다움은 분명히 있다. 남들보다 일찍 찾아온 엄마의 아픔에 때때로 흥건한 눈물을 적셨음에도 이러니하게도, 그 안에서 그동안 느낄 수 없었던 삶의 아름다움에 벅찬 날들이 많았다. 보이지 않던 것들이 보였고, 느껴보지 못했던 아픔을 행복으로 피워내기도 했다. 불현듯 찾아온 삶의 그림자는 생의 뿌리를 단단하게 내리는 데 기여했다.

찬란하게 만발한 꽃들만 보아도 개화과정에는 그들을 흔드는 수많은 비바람과 어둠의 시간이 있지 아니한가. 사람도 마찬가지가 아닐까……. 삶에 그림자가 드리워져도 무조건 어둠에 가라앉는 건 아니다. 언제나 삶의 그림자에도 바람은 불고, 음악이 흐르고, 향기가 난다. 그 순간을 잘 보듬으며 삶의 그림자를 잘 가꾸면 그림자에서 피어나는 진한 꽃을 마주할 수 있을 것이다. 그렇게 되면 겉으로도 더 단단하게 아름다운 꽃을 피워낼 수 있는 사람으로 거듭날 수 있다.

사람에게 꽃이 피어나려면 겉보다는 안에서부터 피어나야 하는 것이다. 그래서 커다란 시련을 딛고 일어난 사람들에겐 삶을 아우르는 선한 빛이 나는 것일지도 모르겠다. 그러니 당장 그림자를 쫓아버리려고 너무 애쓰지는 않았으면 한다. 때론 어두워야 더 선명하게 다가오기도 하니, 그림자는 빛의 또 다른 얼굴이기도 하니 그저 삶의 그림자도 잘 보살펴 볼 일이다. 그러면 삶은 짙은 그림자만큼 진한 빛을 선물할 테니까…….

삶을 통째로 흔드는 그림자가 막을 씌워도 뿌리가 튼튼하면 그림자의 꼭짓점도 조금은 무던하게 흘려보낼 수 있을 것이다. 그림자가 짙을수록 더 환한 빛이 기다린다는 것도 잊지 말아야 한다. 어쩌면 삶은 눈부시게 빛나는 잠시의 순간을 마음껏 만끽하기 위해 수많은 그림자를 거둬내는 발걸음의 연속일 수도 있으니 말이다.

우리 모두 처음이잖아요

'다른 사람은 수월하게 흘러가는 것 같은데 내 삶은 왜 이리 힘겹기만 할까?'

이렇게 생각하는 사람이 꽤 될 것이다. 계속해서 무언가를 바라며 질주해야 칭찬해주는 현대사회에서 '나만 어려운 것 같은 삶'의 꼬리표는 곧잘 따라다니며, 스스로를 괴롭히기도 한다. 생각해보면, 삶은 누구에게나 쉽지 않은 얼굴을 하고 있는데 말이다. 그렇기에 삶이 어렵게만 다가올 때는, 스스로 격려해주고 듬뿍 안아주어야 한다.

그런 의미에서 영화 〈우리의 20세기〉 시선은 섬세하고 반가웠다. 영화 속에선 1900년대를 살아가는 50대도, 20대도, 10대도 모든 것이 처음이라 모두가 서툴고 고뇌하고 방황한다. 겉으로는 잔잔해 보이는 삶이지만 모두가 속으로는 자신만의 파도를 감당하며 버텨낸다.

"행복한지 따져보는 건 우울해지는 지름길이야."
"실연도 세상을 배우는 좋은 방법이거든."
"네 인생을 어떤 식으로 예상하건 간에, 절대 마음처럼 흘러가지 않아."
"아무리 힘들어도 금방 괜찮아져. 그래 봐야 또 힘들어지지만."

영화는 서툰 인생을 살아가는 우리 모두가 공감할만한 현실적인 잔잔한 위로를 전한다. 각자의 위치에서 자신만의 방법으로 살아가고 있는 건 20세기도, 지금 21세기도 마찬가지가 아닐까.

이렇게 아픈 게 처음이라 때론 너무 힘에 부친다는 우리 엄마도, 엄마가 처음이라 어떻게 훈육하는 게 좋은 것인지 매번 고민한다는 친구도, 사업이 잘 되어도 매번 선택이 처음이라 쉽지 않다는 지인도 모두 매순간 고민하며 삶의 버퍼링에 버벅거린다. 생각해보면 우리는 세상에 나오는 것조차 서툴러서 울면서 마주하지 않았던가. 나도 살아내는 일이 처음이라서 서툰 것이 당연한 것이거늘, 그걸 몰라서 불안해했다. 나 혼자만 능숙하지 않은 것 같아 조바심 내며 수없이 지새던 밤들이 있었다.

미술을 배워본 적도, 디자인을 전공한 적도 없던 내가 주얼리 디자인으로 이직하고선 겪었던 서툰 나날들의 모음집은 셀 수 없이 많다. 잔뜩 멋들어진 어른의 모습이고 싶었던 40대는 맞이하고 보니, 여전히 서툴고 비틀거린다. 하지만 감사하게도 이제는 서툴고 비틀거리는 자신을 조금은 편히 바라볼 수 있는 여유가 생겼다. 물론 지금도 서툰 삶의 자연스러움을 이해하면서도 가끔씩 비워낼 수 없는 감정들이 고개를 드는 날이면 매한가지로 어렵긴 하지만 말이다.

결국 삶이란, 모든 것을 고스란히 받아들이겠노라고 마음먹는 순간부터 친근하게 곁을 내어주는 듯하다. 서툰 것도 온전한 삶의 모습으로 받아들이면, 서툰 삶 속에서도 나름의 균형을 찾아가며 풍요롭게 익어갈 수 있으리라. 서투름과 걱정에 지배되어 스스로가 반쯤은 늙어버린 것만 같은 순간일 때도 근심 하나 비워내고, 그 자리에 웃음 두 개 억지로 채워 넣으면 별 일 아닌 일에도 꽉 찬 행복을 느끼기도 하는 것이 삶이더라…….

삶의 성장통은 언제쯤 끝이 날까요?

 계절의 환절기는 정해져 있지만 삶의 환절기는 기약 없이 불현듯 다가온다. 그래서 우리는 삶이 흔들릴 만큼 통증에 시달리기도 하고 불안한 마음의 열병을 앓기도 한다. 그래도 삶은 지속되어야 하기에 휘청이면서도 본능적으로 걸어 나간다.

 아버지가 편찮으셔서 힘들어하던 아는 동생이 잘 버텨주시는 아버지께 감사하다가도 가끔씩 버거워지는 마음을 어떻게 할 도리가 없어 방황하게 되는데, 어떻게 나는 힘들어 보이지 않냐고 했다. 내 나이가 되면 가능해지는 건지, 얼마나 더 단단해져야 가능해지는 건지 물어왔었다. 왜 안 힘들겠는가. 그렇게 봐주니 그저 고마울 뿐이었다.

병원에서의 하루하루는 고단하고 척박했지만, 그 안에서 흘러가는 매일은 삶의 진정한 의미에 대해 화두를 던지게 만들었다. 중환자실을 지키던 보안 직원은 엄마가 일반병실로 옮겨질 때 제 일처럼 기뻐하시며 나에게 축하와 회복을 기원하는 인사를 전하셨다. 병원식을 나눠주시는 선생님은 맛있는 반찬이 나오는 날이면, 애쓴다며 그냥 스윽 가져다주시기도 했다. 몇 년 동안 한 할머니를 간호하시는 간병인 분은 병원에서 오래 지내는 게 얼마나 힘든 일인지 안다며, 가끔 나의 말동무가 되어주셨다. 웅크리고 싶은 순간마다 살짝이라도 고개를 들면 여지없이 삶은 다정한 손길을 뻗쳤다. 그 손길은 슬픔에 흠씬 두들겨 맞은 듯한 통증에도 '삶은 언제든 근사할 수 있구나.'하는 생의 찬미를 나부끼게 했다.

결국 삶의 성장통은 나이와는 상관없이 늘 곁에 있는 삶의 동반자가 아닐까 싶다. 아무리 나이가 들어도 삶은 순간순간 벽 같고, 때때로 절벽 같기도 하며, 가끔은 버거운 현실의 민낯을 드러내기도 한다. 그럼에도 벽을 같이 넘어가 줄 사람들이 있고, 돌아갈 수 있는 길이 있으니 그저 감사할 일이다. 아무리 성난 파도라도 또는 잔잔한 바람이라도 언젠가는 지나가기 마련이니까……. 성난 파도에 휩쓸려 사라진 것은 사라진 대로, 잔잔한 바람에 실려가 남겨진 것은 남겨진 대로 우리는 그 흔적마저도 껴안고 살아간다. 그러니 심연의 동굴에 내동댕이쳐진 통증에 숨이 막힐 것만 같은 때에도 어렵지만, 그 순간의 삶을 쓰다듬었으면 한다. 삶의 성장통은 우리를 어느 방향으로든 성장시킬 것임은 분명함을 기억하면서…….

조각가 알베르토 자코메티는 "당신과 나, 그리고 우리는 그렇게 계속해서 걸어 나가야 한다."라고 말했다. 어차피 누구에게나 주어진 삶은 유한하니 그저 계속해서 걸어가면, 그냥 살아내면 된다고 〈걸어가는 사람〉 작품에 대해 설명했다. 이왕이면 삶의 성장통에 끌려 다니기보다는 잘 끌고 걸어갈 수 있는 우리가 되었으면 한다. 커다란 시련 앞에서도 꾸준히 앞으로 나아가는 사람만큼 대단한 건 없으니 말이다.

때론 일부러 잃어버려야 나아갈 수 있다

그간 가슴 졸이는 아픔에 많이 의연해졌다고 생각했다. 가끔 응급의 상황에 극도로 평정심을 유지하는 나를 보며 안쓰럽다는 생각마저 들었으니 말이다. 하지만 삶과 죽음을 넘나드는 일 앞에 한결같은 비장함을 보여주기란 애초에 안 되는 일이었다.

많은 부작용과 합병증이 엄마를 괴롭혔지만, 다시 건강해지실 거라는 희망의 끈을 놓지 않았다. 하지만 지난여름 진단받은 엄마의 병은 나를 거세게 흔들어댔다. 엄마 앞에서 드러낼 수 없는 두려움과 불안은 꿈틀꿈틀 자라나며 나를 괴롭혔다. 나를 다스려야 엄마 곁에서 긍정의 마음으로 간호도 할 수 있겠다는 생각이 들어, 안 좋은 감정들로부터 멀어지기 위해 애를 썼다. 마음에도 침묵이 필요했다. 마음의 침묵시간이 필요한 건 내가 하고 싶은 것보다 누군가를 지켜내고 싶은 마음이 커서일 터. 진심으로 지키고 싶은 엄마를 위해 침묵하는 시간 동안 온갖 소란으로부터 거리를 두고, 마음 안에 미소만 차곡차곡 쌓았다. 그렇게 침묵으로 채워진 마음은 정성의 꽃으로 피어날 거라 믿었기 때문이다.

간신히 침묵으로 묶어 놓았던 내 마음은 언젠가부터 나도 모르게 빈틈이 생기고 있었다. 엄마에게 집중하느라 스스로를 들여다볼 여유가 없었기에 잘 지내고 있겠거니 했는데, 돌보지 못하는 사이에 한없이 무거워졌던 모양이다. 때마침 그때, 어디서 잃어버린 지도 모르게 지갑을 잃어버렸다. 지갑을 잃어버린 걸 알았을 때 이미 지갑은 저 멀리 달아난 뒤였다. 속상하고 허탈한 마음이 컸지만 한편으로는 아이러니하게도 체증이 내려간 것 같은 시원한 마음이 손짓했다.

'아. 모든 걸 가득 쟁여놓고 무거움에 내가 가라앉고 있었구나.'

그날 잃어버린 건 비단 지갑만이 아니었다. 그동안 걱정을 휘감고 묶어두었던 무거운 마음의 티끌들도 함께 잃어버렸던 것이다. 그 마음을 잃어버리고선 한결 편해진 나를 마주할 수 있었다.

때론 마음이든, 시간이든 일부러라도 잃어버려야 삶을 지속할 수 있나보다. 그러니 자신의 마음이 힘든 감정의 저장고가 되어서는 안 된다. 힘든 감정은 건강한 방식으로 어떻게든 버리고, 일부러라도 잃어버려야만 한다. 그래야 정말로 소중하고 지켜야 할 감정을 마주했을 때 알아채고 담아낼 수 있는 자리가 생길 테니 말이다.

기다리는 삶 속에서

　우리는 무언가를 기다리는 일에 얼마나 익숙할까. 하루가 어떻게 흘렀는지도 모를 만큼 바쁘게 살아가는 현대의 삶에서 기다리는 건 이제 불필요한 시간이 되었는지도 모른다. 인터넷이 조금만 느려져도 답답함을 느끼고, 지하철이 지연되면 짜증이 나고, 엘리베이터를 기다리는 짧은 시간마저도 핸드폰과 함께한다. 이렇게 기다림에 낯선 우리가 되었지만 지금도 알게, 모르게 항상 무언가를 기다린다. 원하는 학교와 직장의 합격 소식을 기다리고, 좋은 인연을 기다리고, 출산을 기다리고, 성공을 기다리며 심지어 삶의 종착역인 죽음마저도 기다리게 되는 것이 우리 삶의 숙명이 아닐까.

때론 설렘과 기쁨을 주기도 하고, 때론 고통과 슬픔을 주기도 하는 기다림의 순간이 나에게도 많이 있었다. 그 중에서 제일 어려웠던 기다림은 누구나 그렇겠지만, 병원에 있을 때다. 병원에서의 모든 기다림은 절박하여, 누군가가 내 마음을 행주 쥐어짜듯 짜내어 내가 한없이 쪼그라져 비틀어지는 것만 같다. 지난여름 엄마에게 안 좋은 병이 걸렸다는 걸 알게 된 순간보다 그 결과를 기다리는 시간이 더 메말랐으며, 엄마를 돌보는 시간보다 수술이 끝나길 기다리는 시간이 더 타들어갔다. 내 마음이 이런데, 당사자인 엄마의 기다림은 얼마나 애가 탔을지, 감히 헤아려보기조차 쉽지 않았다.

그 오랜 시간 건강을 되찾길 기다리며 버텨온 시간들, 그런데도 계속해서 찾아오는 병과 그럼에도 또 투병하며 기다리는 시간들. 엄마는 그 시간들을 어떻게 기다렸을지 궁금해 하는 나에게 이런 말씀을 하셨다.

"건강해지길 기다리기보다 지금보다는 안 나빠지기 위해서 노력하며 지내는 거야. 건강을 기대하기보다 그냥 시간의 흐

름에 몸과 마음을 맡기는 거지. 나는 병과 싸운다고 생각하지
않아. 그냥 얘가 더 화가 나서 나빠지지 않게, 사이좋게 지내
려고 해."

엄마의 기다림에는 오랜 시간 병과의 공존으로 깨달은 삶의
영근 농후함이 담겨져 있었다. 엄마의 기다리는 시간에는 여
백이 가득했다. 그래서 통증이 사라지길 바라는 기다림도 삶
의 일부로 받아들일 수 있었을까 싶다. 무언가를 채우기 위해
갈망하는 기다림이 아니라, 비어 있는 그 공간을 그대로 비워
두고 묵묵히 기다림의 시간도 받아들이는 기다림……. 그것이
엄마여서 가능했던 걸까. 딸들을 출산하고 키우며 얼마나 많
은 시간을 기다렸겠는가. 걷기를 기다리고, 아프지 않기를 기
다리고, 사회에 자리 잡기를 기다리고. 그 맹목적인 기다림의
연속에서 터득하신 기다림의 비움이었을까. 삶 속에 무르익어
영롱하기까지 한 엄마의 기다림은 생의 찬란한 현명함이었다.

기다림은 흘러가는 우리 삶에서 반드시 주어지는 시간의 터
널이자, 삶을 틈틈이 살펴보게 하는 터미널 같다. 진정한 기
다림은 비움이 가능할 때 삶의 지혜로 발현될 수 있는 듯하

다. 관계와 상황으로 인해 움푹 패어버린 삶의 상처도 잘 기다리고 나면, 생의 아름다움이 녹아든 흔적이 될 수 있는 것이다. 그러니 애써 상처를 낫게 하기 위해 너무 발버둥치지도 않았으면 한다. 결국 시간의 힘은 기다림의 지혜임을 잊지 말아야 할 것이다.

살아간다, 사랑한다

지나간 시간들을 떠올려본다. 시간 속에서 함께한 사람들도 자연스레 떠오른다. 흘러와보니 행복한 시간뿐만 아니라, 아프고 슬펐던 모든 시간도 한껏 아름다웠다. 그 시간을 나눈 인연들에 감사함을 전한다.

　순간마다 함께한 사람들의 이름을 매만지면, 어느새 햇살 한 줌이 내 마음에 찾아와 노크한다. 나에게 다가와 번진 햇살은 또 다른 누군가의 삶을 데우리라. 이렇게 삶은 매 순간 돌고 돌아 우리의 인연도 순간순간 엮어지게 하며, 하나로 연결된다. 그리하여 우리가 살아가는 일은 결국 자신을, 서로를 사랑하는 일. 그 사실 하나만 기억해도 삶은 더 풍성하게 아름다움을 선사할 것이다.

　우리는, 그래도 살아간다. 그래서 사랑한다.

꿈길이 아니더라도, 꽃길이 될 수 있고

2021년 4월 27일 초판 1쇄 발행
2021년 4월 27일 초판 1쇄 인쇄

지은이 | 조은아

편집 | 송세아
표지 | theambitious factory
인쇄 | 아레스트

펴낸이 | 이장우
펴낸곳 | 꿈공장 플러스
출판등록 | 제 406-2017-000160호
주소 | 서울 성북구 보국문로 16가길 43-20 꿈공장 1층
전화 | 010-4679-2734
팩스 | 031-624-4527
이메일 | ceo@dreambooks.kr
홈페이지 | www.dreambooks.kr
인스타그램 | @dreambooks.ceo

ISBN | 979-11-89129-86-6

정 가 | 13,000원